D1293033

BUBBLE GUM

DU MÊME AUTEUR

HELL, Grasset, 2002 ; LGF, 2004.

LOLITA PILLE

BUBBLE GUM

roman

BERNARD GRASSET
PARIS

A Jonathan Alphandery

I

TERMINUS

MANON — Tout ce que je ressentais, c'était la faim. Une faim terrible, que j'aurais pu appeler manque, besoin, impuissance, frustration, vide, et qui m'obsédait, me rongeait, m'engloutirait bientôt. Qui gâchait mes journées, qui pourrissait mes nuits, me tenant éveillée de longues heures maudites, de longues heures de tortures où j'aurais pu trouver un peu de répit, qui décolorait l'aube et le ciel, plombait les musiques les plus gaies, changeait les airs de danses en marches funèbres, les films comiques en tragédies grecques, la nature en désert et mes rêves en poussière.
C'était comme une fièvre, une mauvaise défonce, une crise de manque, cette faim impossible à assouvir dont j'étais possédée.

Je détestais ma vie.

Je détestais Terminus, que j'avais toujours connu, et où mon acte de naissance, avec la déclaration de mon père, dans le grand registre à la mairie désaffectée, attendait simplement qu'on inscrive à sa suite la mention « décédée », sans avoir à changer ni mon nom de jeune fille, ni le lieu, juste la date, négligemment, avant de se refermer. Terminus, ce lambeau de goudron abandonné des hommes, avec sa fontaine et ses bancs sur la place, sa cabine téléphonique à pièces, ses platanes centenaires comme ses habitants, ce réverbère borgne devant la fenêtre de ma chambre, son bistrot, son bistrot qui m'a vue grandir, et qui me verra vieillir dans la même tenue, dans la même posture, avec le même chiffon dans la main qui me sert à essuyer les mêmes tables depuis que j'ai douze ans, qui a vu mourir ma mère, et moi prendre sa place au bar, pour servir les mêmes cafés infects, les mêmes pastis à l'eau aux vieux cons du village, jusqu'à ce que je la rejoigne enfin, au paradis des serveuses de bar.

Je déteste la lumière aveuglante du dehors, le soleil sans pitié qui se réverbère sur la terre battue, la cha leur étouffante, le chant imbécile des cigales qui m'empêche de dormir, et qui me rappelle en permanence quand je parviens à m'en défaire que je suis à Terminus et que j'y resterai. Je déteste la fraîcheur et l'obscurité de ma vieille maison, le rez-de-chaussée pour les clients et l'étage que je partage avec mon père, le sol en argile, les volets toujours fermés, les fausses fleurs, la pendule cassée, la baignoire à pieds, et mes dessins d'enfant dans la salle

de bain, écœurants de naïveté, scotchés au-dessus du miroir, à moitié effacés par la vapeur et le temps, que mon père refuse d'enlever.
Je déteste ma chambre, et sa poutre au plafond, et les fissures dans la poutre, que je pourrais dessiner les yeux fermés, l'armoire en bois verni, qui contient mes vêtements et donc à moitié vide, la planche sur des tréteaux qui me sert de bureau, les rideaux à fleurs déchirés, le radiocassette qui marche une fois sur deux, ces posters de stars de ciné qui ne savent même pas que j'existe, mon lit étroit, et l'enfermement, par-dessus tout, l'enfermement : ce plafond bas, cet espace encombré, cette petite fenêtre ridicule, cette petite fenêtre, presque une meurtrière, qui est à elle seule toute mon ouverture sur le monde, et tout ce que je vois du monde, c'est la place de Terminus et la vieille d'en face en train d'agoniser lentement devant sa télé jusqu'à l'aube, et mon soleil à moi, c'est un réverbère borgne.
Je déteste ces vieux devant chez moi, ces vieux qui se laissent crever, assis sur le banc, leurs faciès alignés, comme une galerie de mauvais portraits peints par le même raté, leurs traits vitriolés par les soucis, l'aigreur et la pauvreté, et qui n'ouvrent la bouche de toute l'après-midi que pour se demander aux uns et aux autres ce qu'ils ont bouffé la veille, et ce qu'ils boufferont demain, et pour médire de tout ce qui les dépasse, de tout ce qu'ils n'ont pas vu, pas eu, du vaste monde, dont ils se

méfient comme de la peste, du tout qui fout le camp, et moi aussi je veux foutre le camp, et ils me haïssent pour ça, haïssent ma silhouette, mon visage, parce que leurs filles sont épaisses et laides, tout ce que je ne suis pas, parce que leurs filles sont là, à Terminus et ne s'en iront jamais, et ils s'arrogent le droit de me critiquer, me juger, m'accabler, sous prétexte qu'ils m'ont vue grandir et qu'il paraît qu'entre-temps j'ai « changé », et ils le persiflent entre ce qui leur reste de dents, en appuyant haineusement sur la première syllabe, comme si j'avais commis un crime, et c'est vrai que c'est un crime le changement, ici à Terminus.

Je déteste la route qui traverse le village, avec ses bagnoles qui filent à toute allure vers d'autres horizons, et me laissent plantée là, inerte et décoiffée, dans un nuage de poussière sur mon putain de bas-côté, les magazines glacés où la terre entière bronze à Saint-Tropez, pendant que moi j'essuie mes tables toute la journée, la télé du salon, l'unique télé de la maison, grisâtre et bancale sur son meuble à roulettes, encadrée de papier peint fleuri qui se décolle dans les coins, parce qu'elle m'en apprend davantage chaque jour sur le vaste monde et que ce vaste monde, je ne connaîtrai jamais.

Je déteste ces présentateurs pontifiants et bien habillés, qui font des montagnes de fric en rétribution de leur talent pour déchiffrer des prompteurs, parler dans des micros et lécher des bottes, ces jeux à la con où des gens comme moi se ridiculisent chaque jour en répondant à côté à des questions aussi difficiles que « Lequel de ces hommes était un compositeur sourd : a) Mike Tyson, b) Ludwig van Beethoven, c)Vincent Van Gogh, d) Rain Man ? », avec ce pseudo-suspense, musique de film d'horreur, silence dans la salle, sourcils froncés du présentateur et coup de fil paniqué à la vieille mère qu'on tire de sa sieste pour qu'elle confirme que oui, c'était bien Mike Tyson qui s'était coupé l'oreille pendant le tournage d'un film avec Tom Cruise, et qui malgré la surdité qui en avait résulté avait tout de même composé la *Sonate au Clair de Lune*, et cet opéra génial où il était question de tournesols, et non, mauvaise réponse décrète le présentateur bonhomme, le seul ici, à gagner des millions, mauvaise réponse, cassez-vous maintenant, retournez à votre guichet SNCF, à votre guérite de péage, à votre écluse, à votre camion, à votre bordel, et le perdant se désole d'être passé si près du Pérou, et n'éprouve pas un demi-sentiment de honte à propos de son ignorance crasse, et quitte le plateau en titubant, à moitié fou, devant la France affligée, et s'en va retrouver son écluse et sa vieille mère inculte, qu'il insultera jusqu'à ce que mort s'ensuive parce que tout est de sa faute, lui allait dire Beethoven, il le savait, il en était sûr, et toute sa vie, il ne ruminera plus que son quart d'heure de gloire et matera la cassette jusqu'à ce que la bande

s'use, et sombrera dans l'alcoolisme pour oublier qu'il n'a pas su saisir sa chance.
Je déteste ces publicités qui se mettent en quatre pour nous donner envie d'acheter un produit à la con dont on n'a même pas besoin, qui te tutoient pour te vendre du Fanta citron, qui te tutoient si t'es un jeune, parce que les jeunes sont cools et arriérés et qu'il faut les tutoyer sinon ils ne comprennent pas ce qu'on leur dit, et la voix off de minette en chaleur des pubs pour le déodorant, le rouge à lèvres et les crèmes dépilatoires, parce que toutes les filles entre quinze et vingt ans sont de toute façon des minettes en chaleur, hystériques et obsédées par la tenue de leur déodorant et nageront dans la joie en apprenant qu'on fabrique maintenant des crèmes dépilatoires en spray qui font effet en trois minutes sans irritation, c'est-à-dire juste le temps que le jeune qu'elles ont ramené d'une quelconque « teuf » se tape un Fanta citron et le début d'une queue pendant qu'elles se désherberont les jambes et la chatte au spray enfermées dans la salle de bain, et pourront donc passer immédiatement à l'action dès qu'elles en sortiront, imberbes et donc baisables, et leur filer un orgasme de coups de boutoir mal assenés, mais pas de ces vilaines maladies vénériennes qui décimaient les prostituées autrefois, mais qui ne vous décimeront pas, toi et tes pareilles, les jeunes minettes en chaleur, grâce aux préservatifs machin, les préservatifs machin :

tape-toi la terre entière, suce des queues, pratique le triolisme et la sodomie en plein air, sur des parkings par exemple, puisqu'il n'y a que ça qui t'intéresse. Les préservatifs machin : plus rien ne t'empêche d'être une salope.

Je déteste les radios locales avec leurs jingles ringards qui se veulent branchés, leurs « hits » qui ont trois mois de retard, l'humour lourdingue des speakers endormis, les pubs locales pour le restau de couscous du coin, pour la quinzaine Intermarché du coin, avec des remises sur le kilo de tomates, le pack de PQ et le jerrican de vinasse, et toute la région qui s'y bouscule à cause des trente pour cent sur le jerrican de vinasse, les infos locales avec les interviews des petits artisans en voie de disparition, et la honte suprême, mon père qui s'y prête il y a trois ans avec visite guidée du bar, plaidoirie pro-pastis et moi, à l'arrière-plan, tentant de me cacher mais il était trop tard, les kermesses locales, brocantes formica, fantastique loterie et toute la région s'y bouscule pour gagner de magnifiques coussins brodés et de magnifiques galets peints, les bals locaux avec orchestre itinérant, animateur enjoué, buffets de merguez frites et toute la région s'y bouscule en famille, endimanchés, jupes longues à fleurs, débardeurs rayés sur loches tombantes et gros bras nus rougeauds pour les matrones usées, Birkenstock, bermudas et t-shirts gris chinés pour leurs bien chers époux, et la marmaille surexcitée qui fait

la farandole, et les compagnons de mon enfance, sortis de leur STT plomberie, planqués dans les coins sombres à vider des Heineken à un euro cinquante, à fumer de mauvais pétards quand ils ne sont pas à la piquouze, avec leur accent du Sud mixé avec celui des banlieues qu'ils étudient sur Skyrock comme un cours d'anglais, à ahaner les discours rebattus de rébellion boutonneuse piochés çà et là dans des tubes bidons de rappeurs énervés de ne pas posséder de villas à Miami avec piscine turquoise, Ferrari écarlate et Portoricaines qui se frottent contre les pylônes, persuadés que la société le leur *doit*, et mes ex-partenaires de cache-cache aussi sont persuadés que la société le leur doit, mais Terminus est loin, très loin de Miami alors ils fument, ils boivent, et il n'y aura pas de miracle.
Je déteste les filles du village dont je n'ai pas voulu pour amies et qui me détestent aussi à cause du rejet, et de la différence, parce que moi je ne quitte pas ma chambre pendant ces bals-là, je ne quitte pas ma chambre et j'écoute PJ Harvey bien fort pour couvrir la Macarena, pendant qu'elles se dandinent sur la chorégraphie TF1, sautillent sur leurs moelleuses semelles compensées, agitent leurs bras tatoués, leurs mains bagouzées, leurs ventres à l'air, nombrils piercés dans la plus pure tradition working class américaine dix ans de retard, et balancent des œillades lubriques alourdies par l'ombre à paupières mauve à nos anciens partenaires de cache-

cache qui finiront bien par les sauter par dépit parce qu'il n'y a pas une Portoricaine en rut à l'horizon, qui finiront par les sauter n'importe où et n'importe comment, avant que tout ce joyeux petit monde aille dégueuler en chœur sur le soleil levant.

Et ils se marieront, et auront beaucoup d'enfants détraqués, et ils leur taperont dessus comme on leur a tapé dessus, et ils arrêteront l'école comme leurs chers parents avant eux, et ils se drogueront comme ils se sont drogués, pour finalement rencontrer à leur tour leur futur conjoint en dégueulant dans un fossé de route départementale à sept heures du matin, ils consommeront sur place, et puis se marieront et auront beaucoup d'enfants détraqués et ainsi de suite, jusqu'à la fin.

Pas de miracle, vous dis-je.

Je déteste mon père avec sa gueule de Jean Gabin rustique, son odeur d'alcool fort et de tabac brun, ses ongles sales et cassés, son français inaudible, et sa façon de me pousser à bout, pour que je l'agonisse d'injures, pour que je me torture à trouver les choses les plus affreuses qu'une fille puisse dire à son père, et qu'il soit blessé, blessé à mort, et s'enferme dans sa dignité à la con, et s'en aille souffrir en silence pendant que je regrette de tout mon cœur non pas de lui avoir dit ce que je pensais, mais de penser ce que j'ai dit, car personne ne peut penser ça de son père.

L'été de mes dix-sept ans, j'ai rencontré un type

au vidéoclub, un type de Paris qui ne parlait que de Paris. Il passait ses vacances dans une maison dans le coin. Ça faisait dix ans qu'elle était à vendre. Les anciens propriétaires s'étaient entre-tués. Elle était immense, il y avait une piscine. Les parents du type venaient de divorcer et sa mère avait racheté ici parce qu'elle ne voulait voir personne, elle faisait une « dépression ». Lui était « au bout du rouleau », il détestait cette maison, il détestait cet endroit, il préférait « la Côte », il avait toujours passé ses vacances sur « la Côte ». « Laquelle ? » avais-je demandé. « La Côte » avait-il répondu. Il était mignon, ce type, on aurait dit une fille avec ses cheveux blonds très fins et son jean serré. Il avait deux ans de plus que moi. J'avais envoyé mon père au diable avec son bar, et j'allais voir le type tous les jours. A Terminus, on jasait pas mal. On avait raison de jaser. Ça s'est passé dans la piscine. Je n'ai pas aimé ça. Il m'a dit que c'était parce qu'on l'avait fait dans l'eau, que ce n'était jamais terrible dans l'eau, qu'on serait mieux dans sa chambre, dans la tour. Je n'ai pas voulu monter dans la tour. Je n'ai pas voulu recommencer. Je n'aimais pas ça. Mais j'ai continué à voir ce type, à cause de sa piscine.

A la fin de l'été, quand il est parti sur « la Côte », rejoindre son père, il m'a offert un flacon d'un parfum qui s'appelait Dolce Vita. Il m'a dit qu'il me téléphonerait de Paris, mais je n'ai pas perdu mon temps à attendre son coup de fil : je savais qu'il ne m'appellerait pas. Je savais aussi qu'il reviendrait l'année suivante, et qu'un an, ce n'était pas grand-chose. J'ai porté le parfum, et mon père m'a traitée de cocotte, alors j'ai rangé le flacon au fond d'un tiroir, avec les babioles de ma mère, en attendant des jours meilleurs.

Et puis l'été suivant, le type est revenu. Je l'ai su par la fille du gardien de sa maison. Mais il n'est pas venu me voir au bar et quand je l'ai croisé au vidéoclub, avec sa petite amie, qui disait que ce vidéoclub était nul, qu'il n'y avait aucun choix, il ne m'a pas dit bonjour et elle m'a regardée de travers, des pieds à la tête, comme personne ne m'avait jamais regardée. J'ai rendu mes cassettes et quand je suis rentrée chez moi, j'ai sorti le flacon du tiroir et je l'ai foutu à la poubelle.

Je déteste les types qui viennent passer leurs vacances près de chez moi.

Je déteste mon anniversaire que personne ne me souhaite, puisque je n'ai pas d'amis, que personne ne me souhaite que mon père, et chaque année qui s'écoule est une année de plus passée à Terminus, de vie en moins, de jeunesse gâchée, et chaque anniversaire à venir verra s'assombrir mon front, se plisser mes yeux, s'affaisser ma bouche, jusqu'à ce que je sois laide, jusqu'à ce que je sois vieille et que je puisse me regarder dans le miroir, dénombrer les vestiges de cette pauvre beauté qui n'aura jamais servi, et me demander qui je suis, où je suis allée, ce que j'ai fait, et les réponses seront : « Personne, nulle part, rien ».

Dans une semaine, j'ai vingt et un ans et je fêterai ça dans l'arrière-salle obscure du bar, avec mon père en vis-à-vis. J'aurai le regard dans le vide. Le sien sera fixé sur moi. Il versera en tremblant le mauvais mousseux dans les flûtes en plastique. Je ne toucherai pas à mon assiette. Après trois quarts d'heure pendant lesquels il me parlera de ma mère, et des soucis que lui cause le bar sans que j'émette un son, il se lèvera un peu pété et excité par sa bonne intention, il me dira qu'il a une surprise pour moi et s'en ira à la cuisine chercher le gâteau qu'il aura planqué le matin même derrière deux caisses de Ricard. Il allumera hâtivement les bougies, hâtivement parce qu'une absence prolongée de sa part serait louche et nuirait à l'effet de surprise, puis il poussera un « Tata » retentissant en apportant le gâteau comme s'il sortait un lapin d'un chapeau, et posera le tout sur la table pendant que je dirai l'air le plus convaincu possible : « Oh un gâteau, ça alors, quelle surprise » et il me tendra la joue pendant que je soufflerai les bougies.

Puis nous passerons la soirée ensemble à regarder par exemple la finale de Questions pour un Champion ou peut-être un vieux film avec Lino Ventura, si je parviens à faire marcher le magnéto. Je quitterai le salon au beau milieu du programme pour éviter les bonsoirs embarrassés et j'irai me coucher, mais je ne dormirai pas. La faim me tiendra éveillée. La faim et la lumière agaçante et ténue du réverbère devant ma fenêtre. Je regarderai la vieille d'en face sans vraiment la voir, et quand mon père entrera dans ma chambre comme tous les soirs, vérifier si tout va bien et m'ébouriffer les cheveux, je ferai semblant de dormir.

Il refermera doucement la porte, et quelques minutes plus tard, j'entendrai son lit craquer sous lui, et je saurai qu'il dort. Je pourrai me relever et m'asseoir à la fenêtre, je pourrai fumer quelques cigarettes en écoutant un peu de musique : un vieil air de Legrand que ma mère aimait bien. Je pourrai respirer. Il n'y a que la nuit que je respire, assise sur ma fenêtre, en fumant des cigarettes, en écoutant *Les moulins de mon cœur*. Je ferme les yeux et je me laisse porter. Je survole Terminus comme en rêve jusqu'à une autre vie...

Il y a deux semaines avec mon père, nous sommes allés voir mon oncle qui travaille dans un hôtel quatre étoiles à une heure de route d'ici. C'est un très beau château avec un grand jardin. Mon oncle s'occupe du jardin. Pendant que mon père et mon oncle buvaient l'apéritif, je suis allée me balader. Il y avait une piscine mais je n'avais pas emporté mon maillot de bain. Autour de la piscine, des gens s'ennuyaient sur des transats. Derrière, il y avait des tables et des chaises en bois blanc. Je me suis dit que je ne dérangerais personne si je m'asseyais là.

J'ai commandé un Coca, j'avais un peu d'argent dans mon sac. J'ai bu mon Coca en regardant l'eau de la piscine s'assombrir au fur et à mesure que le soleil reculait vers les collines. Et puis un type m'a demandé si la chaise était libre. J'ai dit que oui, et je pensais qu'il allait la prendre et l'emporter mais il s'est assis en face de moi. Le type portait un polo blanc, un maillot de bain bleu marine et une grosse montre en argent. Je lui donnais cinquante ans, mais il était tellement bronzé que je n'en étais pas sûre. Il s'appelait Georges et il était ici pour une semaine avec sa fille. Sa fille venait de faire une tentative de suicide, il l'avait emmenée ici pour qu'elle se relaxe un peu. Il s'ennuyait ferme, mais le spa était très bien. Qu'est-ce que je pensais du spa ? Je ne savais pas ce que c'était. Le type a eu l'air surpris. Il m'a demandé si j'étais à l'hôtel. J'ai dit que non, que j'étais venue voir mon oncle, que mon oncle était jardinier ici. Il a eu l'air surpris et je me suis sentie blessée, mais il m'a expliqué qu'il n'avait pas vu une fille boire un Coca non Light depuis les années 80. Puis il m'a demandé combien je mesurais. J'ai dit que je mesurais un mètre soixante-douze. « Donc un mètre soixante-dix » a-t-il dit en ricanant, et je n'ai pas aimé son ricanement. « Et tu pèses combien ? » a-t-il ajouté. J'ai dit « Quarante-huit kilos ». Il m'a demandé si j'avais déjà fait des photos et mon cœur s'est mis à battre. J'ai dit que non, mais que j'aimerais beaucoup, que c'était mon rêve, en fait. « Bien sûr, bien sûr, et tu as quel âge ? » J'ai dit que j'avais vingt ans, et il trouvait ça vieux. Je ne lui ai pas dit que c'était l'hôpital qui se foutait de la charité : j'ai souri et le type m'a demandé si je comptais passer à Paris un de ces quatre. Si je passais à Paris, il me ferait faire des tests, des tests photo. Si les tests étaient concluants, je pourrais intégrer son agence de mannequins : l'agence Vanity. C'était un peu tard pour commencer mais ça valait le coup. Ça valait vraiment le coup. Je lui ai dit que je comptais passer à Paris un de ces quatre. Il m'a donné sa carte. Il s'est levé et il est allé chercher une blonde qui pleurait sur un transat, sa fille sans doute. Quand j'ai demandé l'addition, on m'a dit que c'était déjà payé. Je suis allée chercher mon père pour partir.

.. Le cliquetis de l'argenterie vacillant sur le plateau du petit déjeuner suffirait à m'éveiller. L'éveil serait facile, j'ouvrirais les yeux sans effort, je serais reposée. J'enfilerais un peignoir et m'assiérais à la table roulante. Je boirais d'abord mon jus d'orange, puis, je me servirais une tasse de thé. Je m'emparerais d'un croissant avant de signer la note, pendant que le garçon d'étage tirerait les rideaux. Le soleil envahirait la chambre, et la clameur de Paris. Le garçon s'en irait, je déploierais les journaux, je les parcourrais un peu vite. Nous serions lundi, et le Elle *serait enfoui sous les quotidiens. Sans surprise,*

je découvrirais mon visage sur la couverture. Et juste en dessous de mon nom de scène, en gros caractères majuscules, on pourrait lire : « UNE ÉTOILE EST NÉE. »

J'aurais un sourire, et avant de téléphoner au journaliste pour le remercier, je repousserais le plateau, et prendrais une cigarette. Je l'allumerais et jamais je n'aurais ressenti un plaisir pareil en allumant une clope.

II

LA SOLITUDE

DEREK — … mon cauchemar qui s'achève et j'ouvre les yeux sur pire. J'ai la tête prise dans un étau, et le soleil déclinant filtre entre les rideaux, je suis ébloui, je me tourne, je me lève, je titube, j'ai soif, je porte à mes lèvres un verre qui traînait, et je recrache illico, c'est de la vodka, putain, j'ai envie de dégueuler, où est la salle de bain, je ne suis pas dans ma chambre, j'ai dormi sur un fauteuil, qui m'a déshabillé ? Y a des corps partout, on se croirait dans une morgue, je progresse jusqu'à la chambre en évitant les filles et les rais de lumière, j'ai les jambes cassées, je mets la tête sous l'eau, y a des restes de coke autour du lavabo que je nettoie parce que c'est dégueulasse et pour me réveiller et une saleté de cuiller, qui n'a sûrement pas servi qu'à racler le fond d'un yaourt zéro pour cent, l'eau coule sur ma nuque, faut que je foute tout le monde dehors Je m'assois en peignoir sur le jacuzzi, j'allume une clope, je tire la langue à ma gueule défaite qui me tire la langue en retour, pas envie de prendre un bain, envie de rien, juste de dormir des heures et des heures, jusqu'à ce que tout ait disparu, les filles, le bordel, le filtre gris devant mes yeux, jusqu'à ce que j'aie plus mal à la tête, jusqu'à ce que le temps se remette en marche. Je dormirai pas, je sais bien, qu'est-ce que je vais foutre, j'ai plus l'âge de ces conneries, je suis encore défoncé ou quoi ? J'avale deux, trois cachetons, je ressors de la salle de bain, je me promène sur le champ de bataille, et je retourne les corps pour vérifier s'il n'y en avait pas au moins une de potable. J'appelle pour un café, je reste debout face à la fenêtre, je regarde la colonne, puis je m'assois, puis je me relève, on me touche l'épaule et je sursaute, je crois que c'est la Polonaise, elle s'assoit en face de moi et veut savoir si je suis OK, je ne suis absolument pas OK mais je n'ai pas envie d'en débattre avec une Polonaise que j'ai déjà baisée, et dont je commence à me demander non sans effroi si elle n'est pas mineure. Je lui prends le visage et je lui examine les dents : « How old are you », je demande. Elle me répond « Sixteen » et je lui dis qu'il est temps de partir. J'allume une autre cigarette, mon café arrive, je secoue Mirko, qui dort les bras en croix, un sourire béat sur sa gueule de con et je lui demande de virer tout le monde et de ranger ce bordel mais comme ce n'est pas sa fonction, j'appelle la réception, ou le concierge, ou la femme de chambre, je ne sais pas, je ne dis que « Derek Delano » et je raccroche, j'ai envie d'un bain maintenant, j'envoie Mirko me le couler… « Call me ? » gémit la mineure… « No way. »

Les cinq pisseuses s'en vont à reculons, la porte claque, elles disparaissent de ma chambre et de ma mémoire : « Alors ce bain ? », je gueule en allumant la chaîne, le volume est à son maximum, *Waiting for the miracle*, cette manie que j'ai d'écouter Leonard Cohen quand je suis défoncé, j'entends des bruits de moteur dehors, le soleil ne se couche pas, il se lève. Faux. Qu'est-ce que je vais foutre, maintenant ? Je retourne dans la salle de bain, je me brosse les dents trois ou quatre fois, et j'ai moins mal à la gorge, ce bain coule à une lenteur exaspérante, je n'ai plus qu'à attendre, je fais les cent pas dans le salon, les deux portes s'ouvrent sur la femme de chambre, c'est une nouvelle, terrorisée par le bordel, elle commence à ramasser les bouteilles, et cette soirée d'hier me revient par bribes.. pathétique, comme toutes, passe-temps, aurais mieux fait de dormir, je m'en rends toujours compte après coup, évidemment, on fêtait la fin des collections, pas de quoi se réjouir, on en fêtera le début dans deux mois à Milan, l'éternité est pavée de collections qui commencent, et s'achèvent, puis recommencent et s'achèvent et ainsi de suite, ou le lancement d'une bouteille de champ' redesignée, d'un portable dernier cri avec fonctions fax, gode et appareil photo, d'un nouveau parasite divertissant, à moins que ç'ait été l'ouverture d'une autre place to be, durera-t-elle deux semaines, un mois, trois mois, les paris sont ouverts, et tout cela m'appartient bien sûr ; heureux homme : et tous, tous, à me sucer la queue, les hommes au figuré, les filles en coulisses, et ça s'est fini chez moi, au sniff et aux putes, comme d'habitude, je ne supporte pas ce bruit d'aspirateur, mon bain déborde, je me barricade et plonge, bien-être, mais dans ma tête, ça cogne toujours aussi fort, où est la télécommande : « *The maestro says it's Mozart, but it sounds like bubble gum when you are waiting for the miracle*[1] », la voix de Leonard fait trembler les miroirs, j'ai envie d'Italie, mais si j'y vais, j'aurai envie de New York, et à New York, de Paris, j'ai envie d'une histoire d'amour, c'est pour rire, si je plaquais tout pour devenir pianiste d'hôtel ? C'est pour rire, aussi puisque je joue comme un pied. Mirko frappe à la porte, je ne réponds pas, il frappe encore et m'appelle : « Derek, Derek », je lui demande s'il est dingue de frapper comme ça, s'il ne peut pas me laisser tranquille, il répond qu'il était inquiet ; et je suis un peu irrité à l'idée qu'il puisse imaginer que je suis mort parce que ça fait cinq minutes que je suis enfermé, je lui ordonne de déguerpir jusqu'à nouvel ordre, et

1. Cette phrase est extraite de *Waiting for the miracle,* Leonard Cohen, Sharon Robinson, éd.

puis je coule, j'ai des bulles au-dessus de la tête et ça me change un peu des moulures ringardes et du bleu décevant du ciel, qu'est-ce que je vais foutre aujourd'hui ? Je regarde ma montre, il n'est que trois heures, pourquoi fait-il si noir dehors ? Je sors de la salle de bain, tout est rangé, j'ai l'impression qu'un piège s'est refermé sur moi, mon lit impeccable me nargue, il n'y a plus rien d'humain dans cette suite rectiligne. Les rideaux sont ouverts sur l'orage. Je me sers un verre que je repose aussitôt : qu'est-ce que je vais foutre aujourd'hui ? J'ai dormi deux heures. J'appelle le bureau : je suis effectivement encore plus riche qu'hier, tirade pleine de chiffres, je raccroche, il faut que je me casse d'ici, j'ouvre les penderies, j'enfile au hasard un jean, un col roulé, des boots, un imper, je claque les portes, c'est drôle, mais depuis combien de temps ne suis-je pas sorti seul et sans prévoir où j'allais, toujours entouré d'une flopée de copains qui n'en sont pas, ma réservation faite dans un endroit à la con, « Bonjour, monsieur Delano », je fouille machinalement dans mes poches, j'ai oublié mon cash. Je sors de l'ascenseur : pas de pourboire, larbin : je sens son regard indigné me transpercer le dos, « Monsieur Delano, vous avez des notes à signer », « Plus tard ! », les battants de la porte se dérobent trop vite sur l'agitation de Vendôme, le voiturier court chercher ma voiture, je le stoppe d'un signe : je veux marcher sous l'averse, je m'éloigne à grands pas et je sens me gagner un genre d'étrange joie de vivre, je quitte la place Vendôme pour me perdre, je distingue à peine les vitrines éclairées, étouffantes, aveuglé par des trombes d'eau qui m'isolent du monde, les trottoirs sont presque déserts, les vitrines se font de plus en plus rares, du flot émergent des silhouettes décapitées et des morceaux de visages, irréels, comme dans un cauchemar, ombre longiligne de femme, dévertébrée, arc-boutée sur talons hauts, qui fait signe en vain aux taxis pris qui passent, un adolescent encapuchonné peste au distributeur de cash puis s'engouffre dans le métro, mon reflet débraillé dans la vitrine d'une bijouterie fermée, la figure barrée par un écriteau « LIQUIDATION TOTALE » dégoulinant, je me retourne et pan, l' éclair nocif d'un phare blanc, une bagnole branlante immatriculée 34, feux de route en plein Paris, et je me demande pourquoi les gens ne savent pas conduire, et à quand la démocratisation des Xenons. Soufflant, pestant, je reprends ma marche vers je ne sais où, avec l'impression désagréable de tourner en rond, mais est-ce que ce n'est pas ce que j'ai fait toute ma vie, marcher sans but, tourner en rond ? Et est-ce que ce n'est pas ça la vie ? Je me pose vraiment et sérieusement la question, mais une autre voix en moi ricane et fait taire mes interrogations existentielles, et comme à chaque fois que j'ai un coup de blues, j'ai envie d'appeler Stanislas à New York, mais il doit sûrement dormir, puisqu'en ce moment il travaille dans un bar après la banque, et de toute façon je n'ai pas pris mon portable, et de toute façon, à chaque fois que je l'appelle pour lui faire des confidences, les mots ne sortent pas, et je finis toujours par lui raconter ma dernière pute, ou ma dernière baston et il doit s'imaginer que je suis devenu atrocement superficiel depuis la pension. Je quitte le Ier pour la zone. Je n'ai pas marché aussi longtemps depuis le jour où je suis tombé en panne avec la Jeep dans je ne sais plus quel désert, j'étais sorti sans personne, pour jouir de la solitude et évidemment je me suis retrouvé à pied, comme un con à mille miles de toute terre habitée, et je n'ai dû mon salut qu'à un couple d'Allemands, des amis de mon père, qui passaient par là par hasard, dans une Jeep d'un modèle plus récent que la mienne, et qui m'ont dit bonjour comme si nous nous étions croisés à la sortie d'un opéra et m'ont ramené à l'hôtel. Comme quoi, ça ne me réussit pas de sortir seul, surtout qu'il n'y a pas un taxi libre, et que je crève de cette stupide promenade et de cette stupide pluie. J'entre dans le premier troquet venu, et je suis à peine assis que je commence déjà à draguer la serveuse, ce qui n'a pas l'heur de plaire au tenancier derrière le bar, qui ressemble, en VF et comme deux gouttes d'eau à l'idée que je me fais des barmen de Bukowski, que j'ai cherchés comme le Saint-Graal de bars glauques en ruelles coupe-gorge dans les bas quartiers de

L.A., pour donner un sens à mon alcoolisme, et il faut que je déniche la perle rare, cinq ans plus tard, alors que j'en avais oublié jusqu'au concept, à deux pas de mon hôtel, dans un café-tabac français, à première vue d'une désespérante banalité.

— On sert pas à déjeuner, ici.

L'abord est agressif et impropre aussi puisque non seulement la seule idée d'ingurgiter un aliment solide me donne une sacrée nausée, mais en plus, je n'en ai pas le moins du monde exprimé l'intention, et je me demande ce qui lui prend – encore un cinglé.

— Tant mieux. Ayez plutôt l'amabilité de me porter ou de me faire porter la carte des boissons, cher monsieur.

Il rappelle son employée d'un geste si impérieux qu'à la place de la fille, j'aurais rappliqué plus vite que ça, le bistrot est aussi vide que ma tête à cet instant, et je me demande si je ne suis pas en train de rêver cette scène. C'est à ce moment que je me rends compte que la serveuse que j'ai draguée doit avoir largement dépassé les soixante-dix ans, mais elle est encore svelte, et son maquillage outré, dans la pénombre, les vestiges de ma défonce de la veille, tout cela l'avait à mes yeux soulagée de trois bonnes décennies, enfin, maintenant que la vérité s'est fait jour et que la vérité pourrait être ma mère voire ma grand-mère d'un point de vue purement biologique, je décide de ne pas même essayer de la disputer au maître de céans, dont je souhaite me faire bien voir, et dont la jalousie semble finalement, après observation, légitimée par les liens sacrés du mariage. Puis un type aussi trempé que la pluie elle-même passe la tête par la porte et demande :

— Excusez-moi, vous servez à déjeuner ?

— Non ! répondent, dans un ensemble parfait et avec une lassitude qui m'intrigue, l'homme et la femme.

L'homme se décide alors à s'occuper de mon cas, et s'approchant de ma table, me jette presque la carte à la figure, ce qui me ravit.

— Un cognac et un chocolat chaud, je vous prie, dis-je, et j'aurais préféré, tant qu'à faire et puisque vous êtes si délibérément agressif à mon égard, d'une façon d'ailleurs totalement gratuite, que vous joigniez au moins la parole au geste, et qu'au moment où vous m'avez lancé cette carte des boissons à la figure comme un soufflet, vous soyez allé jusqu'au bout de votre démarche et m'ayez simultanément gratifié de je ne sais quelle épithète malsonnante telle que connard, raclure ou petit salopiaud, ce qui aurait eu le mérite d'être entier, car figurez-vous qu'il n'y a rien qui m'agace plus que la demi-mesure.

— Si vous cherchez à vous faire de nouveaux amis, il vaudrait mieux que vous dégagiez le plancher, car vous n'êtes pas du tout dans le bon endroit pour ça.

— Monsieur crée des problèmes ? s'enquiert, menaçante, la digne épouse du croque-mitaine, et j'ai presque envie de pleurer quand je vois à quel point ma bienveillance à leur égard n'est pas payée de retour.

— Excusez-moi, mais... vous servez encore à déjeuner ?

Un homme, en tout point semblable à son prédécesseur vient de poser la question fatidique par la porte entrebâillée.

— NON ! aboient-ils avec une synchronisation dont je suis jaloux.

— Et vous, vous restez ou vous vous obstinez ?

Le ton monte.

— Je pense que je vais m'obstiner.

— Lullaby, un cognac et un chocolat chaud pour le monsieur désagréable.

— Y a plus de cognac.

— Comment ça, y a plus de cognac.

— Albert, tu as tout bu tout à l'heure !

— Moi, c'est Derek, et tant pis pour le cognac, un bourbon fera aussi bien l'affaire.

— Lullaby, t'as entendu ?

— Et un bourbon ! crie-t-elle à la cantonade, ce qui m'inquiète un peu, car je suis convaincu qu'il n'y a personne d'autre qu'elle derrière ce bar.

— Merci, Albert, dis-je.

Il fait immédiatement volte-face, et me toise des pieds à la tête, frémissant.

— Comment savez-vous-comment-je-m'appelle ?

— Vous vous foutez de moi ?

— Je vous défends de me parler sur ce ton, dit-il, hors de lui juste avant d'être secoué d'un rire hystérique.

— Monsieur, repris-je, vous sous-estimez mes bonnes intentions vous concernant, je tiens à vous dire que vous m'évoquez d'une façon délicieuse, un personnage récurrent de l'œuvre d'un grand écrivain allemand exilé aux Etats-Unis et décédé en 94, et que pour cette raison, je vous porte un intérêt qui peut vous paraître insolite, mais qui n'en est pas moins sincère.

— Et voilà le bourbon !

C'est Lullaby qui le pose sur la table, avec une vigueur qui fait plaisir à voir.

— A la vôtre, dis-je, avant de vider le verre d'une traite, je ne vous propose pas de vous payer un verre, vous avez déjà sifflé tout le cognac, tout à l'heure.

— Le monsieur a raison, Albert, tu as beaucoup trop bu, tu vas arrêter ça maintenant sinon tu vas voir tout à l'heure...

— Tais-toi donc, Lullaby, c'est entre monsieur et moi.

Il se campe devant moi, les poings sur les hanches, sa voix s'est faite plus grave, il plisse les yeux et je pourrais jurer – d'ailleurs ça me fait peur, pour la bonne marche de mon nerf optique, mon état mental ou peut-être les deux (de toute façon, avec ce que je me mets dans la gueule depuis toutes ces années, je ne fonctionne plus qu'à moitié) – qu'il a grandi.

Il m'attrape par le col, dévastant au passage l'agencement des mailles d'un cachemire auquel je ne tiens plus vraiment depuis que je sais que ce n'est pas Julie, mais son chauffeur, envoyé à la dernière minute au Bergdorf la veille de mes vingt-cinq ans, qui l'a choisi à sa place, et j'ai une pensée amère pour Julie et son égocentrisme au moment où le poing fermé d'Albert suspendu au-dessus de ma tête menace de s'abattre sur moi dans un laps de temps compris entre une fraction de seconde et plusieurs minutes si je parviens à négocier.

— Vous n'êtes pas mon genre, hurle-t-il.

— Vous non plus, fais-je désespérément écho, et je trouve Albert bien présomptueux, l'intérêt que je vous porte est d'ordre... littéraire.

— Littéraire ?

Je vois à la décrispation de ses doigts que je l'ai ébranlé, est-ce parce qu'il ne parvient pas à établir de corrélation entre la littérature qui est tout de même un art, et sa personne, dont la facture est à première vue, d'un but moins esthétique ? En tout cas, du haut de mon expérience, riche en matière de rixes, je sens chez lui, comme une hésitation du meilleur augure.

— Vous servez encore à déjeuner ?

Un troisième larron vient de faire diversion – et

je sais que je ne me ferai finalement pas casser la gueule – et nous nous retournons tous trois, excédés de l'interruption :

— NON ! crions-nous, comme un seul homme.

Quelques instants plus tard et comme prévu, Albert est assis en face de moi, et c'est au tour de Lullaby de se sentir exclue.

— Les êtres trop gâtés par la vie n'ont pas d'amis...

C'est moi qui parle, bien entendu.

— S'il y a quelque chose qu'on ne pardonne pas à quelqu'un, c'est d'être doué de tout ce à quoi n'importe qui aspire.

— Et dire que j'ai cru que tu me faisais des propositions.

— Car, vois-tu Albert, trop de tout tue le tout ? Tu me suis ?

— C'est avec tes histoires d'intérêt insolite, tu comprends, n'importe qui l'aurait interprété comme ça.

— Le commun des mortels résume le bonheur à trois ou quatre idées, il s'agit de la santé, la beauté, la richesse, la réussite, etc.

— Encore un peu de whisky ?

— Alors qu'on peut parfaitement être laid, modeste, raté et heureux du moment *qu'on ne s'en rend pas compte*, et remarque bien que je prononce « on ne s'en rend pas compte » en italique.

— Quoi ?

— La solitude, Albert, la solitude et l'ennui, et la conscience de la solitude et de l'ennui.

— Ah, la solitude ! La so-li-tu-deuh se tient dans mon froc !

— Tout n'est que dérivatif !

— Allons, cesse de louvoyer comme ça, mon petit, qu'est-ce que tu essaies de me dire ?

— Je suis malheureux.

— Non, c'est pas possible ! Pourquoi ! Pourquoi !

— Si, réponds-je avant de réaliser qu'il s'adresse à la bouteille vide.

« Et est-ce que j'ai le droit de me plaindre ?

— Attends répète-moi ça petit !

Il porte la main à son oreille droite, et penche la tête comme s'il entendait mal, puis il acquiesce dans le vide à trois reprises et je suis convaincu qu'il a des voix.

— Hein, petit, répète-moi ça, je n'ai pas bien entendu.

— Est-ce que j'ai le droit de me plaindre ! hurlé-je, les mains devant la bouche en guise de porte-voix.

— Parfait, dit-il, puis changeant du tout au tout d'expression pour redevenir lui-même, et je suis cette fois-ci convaincu qu'il fait une sorte de dédoublement de personnalité : Tu es un roc.

— Pardon ?

— Parfaitement, tu es un roc. Arrête de pleurnicher, maintenant.

Je suis un peu déconcerté par cette sortie, puis, je me rends compte qu'Albert avec sa finesse, sa perception exacte des nuances, sa connaissance exhaustive et délicate des sentiments humains, doit avoir compris qu'une relation suivie serait impossible entre nous, tout bêtement à cause de nos différences ; différence d'âge, de génération, de centres d'intérêt, de milieu, d'état civil (Albert est marié depuis trente ans, et sous le régime de la communauté en plus, je suis seul, et pour longtemps). Ainsi ces amitiés pâteuses, nouées autour d'une bouteille, doivent-elles se finir avec la bouteille. Et bien qu'éprouvant, à cette heure avancée de l'après-midi, une envie presque douloureuse de lier mon destin à celui d'Albert et Lullaby, dans ce qu'il a de prévisible, de certain et de collectif, je me suis machinalement levé, ai remis mon manteau, fais mes adieux – heureusement j'ai retrouvé dans une poche quelques billets, pas grand-chose, au moins de quoi honorer mon addition –, quittai le bar, et je jurerais, mais je dois avoir le cerveau et les sens plus endommagés que ce que je croyais, que j'ai entendu hurler « Coupez », et des applaudissements, ce qui m'a un peu inquiété, mais j'ai décidé de ne pas y prêter attention et je suis rentré à l'hôtel encore plus saoul et seul que j'en étais parti.

III

À NOUS DEUX, PARIS

MANON — Je me suis barrée ce matin sans regarder en arrière. Je n'ai pas dormi de la nuit. Je n'ai rien emporté. Juste de quoi me changer, un bouquin poussiéreux, un paquet de clopes et la carte de Georges dans un vieux baise-en-ville. Le premier car passait à six heures et demie, un peu plus loin sur la route, au nord de Terminus. J'avais peur de le rater, je suis partie si tôt qu'il faisait encore nuit et le jour s'est levé sur ma fuite. J'étais en avance et j'ai attendu le car en recomptant les billets. L'horizon était mauve, et j'ai su qu'il ferait beau. Je ne regrettais rien, ni mon père, ni ma chambre, ni le silence de l'aube sur la campagne. Je ne laissais rien à Terminus.

Je suis montée dans le car, j'ai payé mon ticket. A l'expression du chauffeur dans le rétroviseur, je me suis dit que mon short était peut-être un peu court, et mes lunettes roses un peu trop roses. Je lui ai dit : « Contenez-vous, un peu, il n'est jamais que six heures et demie du matin. » Je me suis assise au fond, j'étais seule passagère. J'ai regardé défiler les champs, en comptant les pylônes, et chaque pylône mettait une borne de plus entre Terminus et moi.

J'ai pris le train à Montpellier. A la gare, j'ai rencontré une fille de mon âge qui m'a demandé du fric. Elle portait un bébé en bandoulière. Elle avait les bras nus, zébrés de cicatrices. Je lui ai dit : « Pour quoi faire ? » Elle m'a dit : « Pour bouffer. » Je lui ai donné un billet de dix. Elle s'est tirée sans dire merci, et en se retournant pour partir, elle m'a heurtée avec la tête du bébé, la tête s'est déboîtée, elle est tombée par terre, elle était en plastique. La fille a disparu dans la gare. J'ai acheté un sandwich et des journaux pour la route, et puis j'ai pris mon train, mais je n'ai pas réussi à lire. Je revoyais l'expression de mon père quand il m'a montré l'argent. Je l'entendais me dire : « Trois mille euros, ce n'est pas grand-chose, mais ils sont là, ils sont à toi. Réfléchis bien à ce que tu veux en faire, et quand tu sauras, je te les donnerai. Réfléchis bien, ce n'est pas grand-chose, mais pour une petite fille de vingt et un ans, c'est beaucoup. » Je l'entendais me dire : « Ma pauvre petite fille, je t'ai pas fait la vie drôle, mais maintenant tu vas pouvoir t'amuser un peu, bon anniversaire et embrasse ton papa pour lui dire merci. » Et surtout, je le voyais sur le pas de sa porte à minuit, vieux, crevé, à la fois heureux et embarrassé du cadeau qu'il me faisait, et je l'entendais me dire : « A demain. » Tu parles. Le fric était planqué au-dessus du bar, je l'ai trouvé tout de suite. Maintenant, c'était planqué dans un vieux sac en cuir, et le vieux sac en cuir coincé entre mes cuisses.

Pour cesser de penser à l'expression de mon père quand il allait trouver la planque et mon lit vides, j'écoutais Foxy Brown dans mon walkman et chaque clope que je fumais avait un goût de nuit blanche. J'ai pris un chewing-gum. Le soleil tapait à travers la vitre, je comptais les gares et je lisais et relisais l'adresse et le numéro de téléphone sur la carte de Georges. Je les connaissais par cœur. J'avais déjà appelé l'agence et une fille avait décroché et dit : « Vanity Models, bonjour ? » Et j'avais raccroché parce que ce n'était pas le moment, mais je m'en rapprochais de minute en minute, et finalement je me suis endormie, la carte entre les doigts.

Le train est entré en gare à quatorze heures précises. A quatorze heures et quelques, je sautai sur le quai de la gare d'Austerlitz et à quatorze heures et quelques, j'étais enfin arrivée à Paris.

— A nous deux, j'ai dit, tout haut en ramassant mes valises et quelqu'un s'est retourné et m'a demandé :

— Pardon ?

J'ai craché mon chewing-gum et j'ai dit : « Mais non, pas vous, Paris. »

Devant la gare, l'air était gris fumé entre les rais de soleil, des gosses insultaient les mères qui étaient venues les chercher, et elles-mêmes insultaient les maris qui avaient perdu le ticket du parking, et eux-mêmes insultaient le gardien de parking histoire de boucler la boucle.

Des chauffeurs de taxi fumaient des clopes et bouffaient des sandwiches sous le cagnard, avec leurs grosses Ray-Ban, ils ressemblaient à s'y méprendre aux flics californiens des séries B, j'en ai déduit que c'étaient donc de typiques chauffeurs de taxis parisiens. Je suis entrée dans la première cabine téléphonique et j'ai composé le numéro de Georges. Une bande de jeunes désœuvrés m'ont regardée d'un air mauvais. Les vitres de la cabine étaient couvertes de tags : « Ame paumée cherche cow-boy armé pour s'envoyer en l'air dans une autre vie. » J'ai failli déraper sur une canette de bière. Georges a décroché.

— Allô, a dit Georges.

— Georges, j'ai dit, c'est Manon.

Il y a eu un silence.

— Tu vas bien ? a demandé Georges.

— Je suis à Paris. Je viens d'arriver.

— Ah ?

— On peut se voir ?

— Euh, excuse-moi, mais... Manon qui ?

— Manon, vingt ans, un mètre soixante-douze donc un mètre soixante-dix, quarante-huit kilos.

Silence de Georges.

— Brune. Yeux bleus.

Silence de Georges.

— Qui ne sait toujours pas ce que c'est qu'un foutu spa.

Silence de Georges.

— Qui boit du Coca non Light.

Et là, miracle :

— Ah, Manon ! Comment vas-tu Manon ! Tu es venue, finalement ?

— Finalement.

— Tu as de la famille ici ?

— Non.

— Où est-ce que tu dors ?

— Je sais pas.

— Et qu'est-ce que tu es venue faire ici ?

— Jockey. Fleuriste. Tueuse à gages. Mannequin.

— Tu es libre à déjeuner ?

— On peut dire ça.

Georges m'a donné rendez-vous à trois heures au Trying So Hard, quelque part place de l'Alma. J'ai raccroché et je suis sortie de la cabine. J'ai demandé mon chemin à la bande de jeunes et la bande de jeunes m'a dit :

— Eh, qu'est-ce que tu foutais dans cette cabine ?

— Plus personne téléphone dans les cabines.

— Tu t'es crue où ?

— Allez, prends le métro, va, c'est direct.

— Sale tapineuse de cabine.

Dans le métro, je me suis d'abord égarée, mais un marionnettiste à catogan m'a finalement indiqué la bonne station contre deux euros et une main au cul.

J'ai débarqué devant le Trying So Hard avec moins de vingt minutes de retard, et l'impression d'avoir traversé deux galaxies. J'espérais qu'on prendrait ma valise pour un sac à main. Georges m'attendait en feuilletant un magazine nommé *Esquire*, il était encore plus bronzé que la dernière fois. Je suis restée plantée devant la terrasse. Il s'est levé, m'a tendu la main et m'a assise en face de lui.

— Joli short, a-t-il dit.

— Qu'est-ce que tu lis ? j'ai demandé.

— Je ne lis pas, je mate.

— Ah ? j'ai répondu.

Il m'a montré le journal.

— Regarde-la, elle, elle est bonne, on dirait ma fille.

— C'est peut-être elle, j'ai dit.

— Tu plaisantes, j'espère, ma fille n'aurait pas eu besoin de retouches.

— De retouches ?

— T'as fait bon voyage ? T'es venue comment ?

— En train.

— C'est tes affaires ? a-t-il demandé en désignant mon sac.

— Ouais.

— T'es là pour combien de temps ?

— Je m'installe.

— Où ?

— Où vous voudrez.

— Eh, du calme, c'est moi qui fais les propositions, ici.

— A la télé, j'ai vu que c'étaient les agences qui logeaient les mannequins ?

— Encore faut-il être mannequin. Lève-toi.

Je me suis levée.

— Tourne.

J'ai fait un tour sur moi-même.

— Qu'est-ce que vous regardez, vous ? C'est un rendez-vous strictement professionnel, a-t-il aboyé au type d'à côté.

— Alors ? j'ai demandé.

— Ouais, ouais, pas mal. Tu veux un peu de vin ?

— Non, merci.

Il m'a servi un verre de vin.

— Bois, a-t-il dit.

J'ai bu et j'ai commandé une salade, je n'avais pas très faim.

— Pourquoi tu veux faire ce métier ?

— Je veux faire du cinéma.

— Encore ? Mais vous n'en avez pas marre, toutes ? Dis donc, je suis pas producteur, moi, c'est pas avec moi qu'il faut coucher !

— Mais, je ne veux pas coucher avec vous ?

— En plus ? Alors qu'est-ce que tu fous là ?

— …

— Ecoute-moi bien, ma petite. T'es mignonne comme tout, plus que les autres, même et crois-moi, j'en ai vu passer. Simplement, moi, j'ai cinquante ans, une agence à faire tourner, et je fais pas dans le social. Rien n'est gratuit en ce bas monde, et pour entrer chez moi, il faut passer à la casserole. Et même après ça, je peux te dire que tu ne seras pas au bout de tes peines. Allô ?

Pendant qu'il répondait au téléphone, j'ai fini la bouteille.

— Chérie ? Qu'est-ce qui se passe ? Comment ? Non, Sibylle, pose ce couteau. Pose-le. Sibylle, chérie, tu sais très bien que tu vas te rater et après tu auras de vilaines cicatrices sur les poignets. C'est très vilain, les cicatrices. Sibylle, bon sang, il est trois heures de l'après-midi, qu'est-ce qui te prend ? Papa est en rendez-vous. Allons chérie, ça, ça s'appelle du chantage, tu ne sais même pas s'il faut trancher en longueur ou en largeur. N'essaie pas de me donner des cours de suicide, s'il te plaît. Je te signale quand même que j'ai été marié à ta mère pendant dix ans. OK, OK, j'arrive tout de suite. Ne bouge pas. J'arrive. C'est ça, comme ça tu pourras me tuer avant. J'arrive. A tout de suite.

Il a raccroché le téléphone et je le plaignais sincèrement.

— Mais cette bouteille est vide ? a-t-il dit avant

de s'emparer de mon verre qu'il a vidé d'un trait, il faut que je file, a-t-il ajouté, un petit problème de famille. Tu réfléchis à ce que je t'ai dit et tu me rappelles. OK ? Tu es parfaite, ne change rien. Et surtout pas le short, hein ? A très vite.

Il a jeté des billets sur la table et s'est tiré en courant. Un type en costard est venu ramasser l'argent :

— Hep, j'ai dit, vous recrutez ?

Et il m'a embauchée, parce que j'étais une amie de Georges, et parce que je portais un bien joli short. Quelqu'un de gentil, ce manager, « Quelqu'un de gentil », c'est comme ça que je l'appelais. Il ne m'a pas simplement embauchée, il m'a trouvé un appart, aussi, par l'intermédiaire d'un de ses amis qui était « dans l'immobilier ». L'ami louait des studios meublés, à des prix défiant toute concurrence. Deux cents euros par mois, ce n'était pas trop cher, même pour moi. Les meubles aussi défiaient toute concurrence. J'habitais dans le IXe, une chambre sous les toits. J'en aimais les poutres et la vue. Moins les chiottes sur palier. Moins l'eau froide. Moins les plaques électriques qui fonctionnaient une fois sur deux. L'immeuble était vieux et imposant. Je n'étais pas loin du restaurant. L'aube me servait de réveil. Et ma routine s'est forgée insensiblement, de ma chambre parisienne au Trying So Hard, un train-train de trajets en métro, Saint-Lazare, Miromesnil, Saint-Philippe-du-Roule, et quand j'émergeais de la station Alma-Marceau, le saxophoniste jouait toujours *La vie en rose*, les vitrines de chez Chanel dont ma mère me parlait tout le temps, les mêmes heures de service, les mêmes plats apportés aux mêmes personnes, ponctués de remarques obligeantes de ma chef de rang : « Manon, la bonne femme de la seize attend son rouge depuis une demi-heure, alors bouge-toi le cul, connasse ! » Parfois je me faisais un ciné après le boulot, je feuilletais un magazine sur une terrasse des Champs en fustigeant les touristes du regard, de mon regard de parisienne. Quand je ramassais beaucoup de pourboires, je m'offrais une paire d'escarpins, ou un peu de maquillage. Je mettais de côté pour acheter une télé. J'ai pris un café avec une autre serveuse du Trying, mais elle était un peu jobarde : elle se prenait pour la réincarnation de Sissi impératrice et pensait que ça lui ouvrirait des portes dans le cinéma. Je n'ai pas donné suite, c'est dommage, c'était agréable de parler à quelqu'un. On m'a demandé mon numéro dans la rue une bonne douzaine de fois et quand j'ai répondu que je n'avais pas le téléphone, on m'a insultée. Ça ne valait pas le coup, mais pourtant, ça m'a fait pleurer. Heureusement, j'en ai trouvé un, derrière une banquette, au restaurant et j'ai acheté une carte. Maintenant, j'ai toujours le portable vissé à l'oreille et je raconte n'importe quoi, comme s'il y avait quelqu'un au bout du fil.

J'ai manqué de me faire virer en repoussant les assauts de Quelqu'un de gentil dans les cuisines, je l'ai rebaptisé l'« Ordure » et j'ai cessé sur-le-champ de porter des shorts. De toute façon, l'automne commençait, et j'ai un peu égratigné mon petit trésor pour acheter des vêtements plus chauds.

J'aimais ma rue du IXe, une petite rue, perpendiculaire à la rue de Rome. Un quartier éblouissant de néons, assourdissant de passage, où tout est ouvert le dimanche, où tout est ouvert toute la nuit. Dans ma rue, il y a une boulangerie, une épicerie, une laverie, un traiteur chinois, un café-tabac, un hôtel de passe et une bouquinerie. Le soir, quand je n'étais pas de service, je passais acheter à dîner, puis j'allais chercher mon linge et des clopes pour la nuit, et puis choisir un livre.

Le bouquiniste avait vraiment une tête de bouquiniste : un vieux type bourru à lunettes, aussi poussiéreux que sa boutique. La première fois que je suis entrée, je lui ai demandé des romans d'amour, comme ceux que j'avais l'habitude de lire à Terminus, mais il a refusé tout net de me vendre ces saloperies de romans à l'eau de rose. Il m'a conseillé quelques bouquins, j'en ai acheté trois, il m'a offert les autres. J'ai découvert pêle-mêle, Hemingway, Carson McCullers, *Le Comte de Monte-Cristo*, et les polars de Dashiell Hammett. Quand je revenais à la boutique, on en discutait pendant quelques minutes et il m'expliquait tout ce que je n'avais pas compris. Il disait que toute mon éducation était à refaire, et parfois, il s'énervait carrément contre moi, mais quand il s'emballait à propos d'un livre, ou d'un auteur, je savais qu'il était content que je sois avec lui, à l'écouter. La nuit était déjà là au moment où j'ai quitté la bouquinerie, j'ai laissé Hugo à son roman, qu'il corrigeait depuis des années et qu'aucun éditeur n'avait jamais voulu publier, j'emportais *Les Hauts de Hurlevent*, une histoire d'amour qui me fâcherait définitivement avec mes romans à l'eau de rose, m'avait-il dit, et je me pressais de rentrer chez moi pour une fois, car j'avais sous le bras de quoi oublier mes murs décrépis, mon plafond fissuré et ma solitude.

Il faisait très chaud cette nuit-là, comme une dernière grâce de l'été avant que s'installent pour de bon octobre et les premiers frimas. J'avais laissé la fenêtre ouverte, j'entendais la rue monter par bribes jusqu'à moi, et j'ai délaissé mon livre qui m'apparaissait tout à coup bien fade à côté de la vie qui bouillonnait en bas. J'allais m'accouder au balcon, réprimant non sans mal un frisson qui me prenait le bas-ventre, et j'admirais Paris qui brûlait sous mes yeux. La ville retentissait ce soir d'une agitation que je lui voyais pour la première fois : les ombres violettes longilignes tourbillonnant sous le feu des réverbères, des pas et des fous rires qui s'éloignaient, le grondement d'une voiture s'amplifiant puis déclinant, me laissant l'impression d'un coup de vent qui aurait tout emporté, tout sauf moi, qui restais immobile à ma fenêtre, à deviner une fête à laquelle je n'étais pas invitée. Mise à l'écart, méprisée, punie, exclue. Plus encore qu'à Terminus. A Terminus, j'avais le sentiment que la vie était ailleurs. Maintenant que j'étais parvenue jusqu'à cet ailleurs, la vie continuait de se passer sans moi.

La vie… La vraie vie ; celle qui bruissait derrière ces visages inexpressifs et trop maquillés qui me commandaient chaque jour à déjeuner, derrière les façades de pierres blanches qui bordaient les trottoirs de l'avenue Montaigne, celle qui marquait les traits familiers des starlettes sur les couvertures des magazines, une vie de bohème, de fête, de voyages, de rencontres, de robes longues et de parures de diamants, de caviar et de champagne, où on se couchait tard, où on vivait la nuit, où on roulait trop vite, où on mourait trop tôt. Je n'avais de tout ça qu'une idée confuse, ce que j'avais lu dans les journaux, vu à la télé, ce à quoi j'avais déjà assisté en trois semaines au Trying So Hard, augmenté du travail incessant de mon imaginaire qui voulait absolument croire en quelque chose de « mieux », mais, bien que ne sachant pas réellement où j'allais, j'y allais, car je le souhaitais de toutes mes forces, de toute mon âme de petite provinciale impressionnable et frustrée, un jour, je conquerrais cette vie-là.

IV

ARCHANGE

DEREK — Aujourd'hui, j'ai décidé de briser une existence.

Je me suis réveillé ennuyé, encore plus ennuyé que je ne m'étais couché, encore plus ennuyé que la veille, l'avant-veille, et tous les jours qui ont précédé, depuis l'immémorial, peut-être l'enfance : le bonheur, l'espoir autrefois, j'en ai oublié la couleur et puis comme un tunnel, decrescendo vers le non-retour, un tunnel sans fin, pas de lumière aussi loin que puisse porter mon regard, je plisse les yeux, effort, impuissance ; il n'y a pas de lumière, pas de sortie, pas d'issue, il n'y en aura plus jamais. C'est ce qu'on appelle une crise d'angoisse, peut-être un début de dépression, peut-être simplement un réveil difficile... Je ne me réveille jamais autrement que difficilement et si je conserve un dernier rêve planqué entre le souvenir de mon ex-suicidée et la conviction que la vie est absurde, que le bonheur n'existe pas, et qu'on finira tous, et moi comme les autres, à bouffer les pissenlits par la racine, c'est bien cet éveil lumineux comme une renaissance, émerger de dix heures de sommeil à une heure décente, le corps reposé et la vie à l'endroit, des passants dans les rues et les boutiques à peine ouvertes, le goût du café, l'odeur des journaux, le soleil du matin, l'intro de *Mellon collie and the infinite sadness*, les dessins animés débiles au petit déjeuner, et le sentiment que tout est encore possible puisque tout ne fait que commencer. Est-ce l'insomnie qui engendre la dépression ou la dépression qui engendre l'insomnie ? Je vis à l'heure de L.A. à Paris, et à l'heure de Tokyo à L.A. L'hiver, quand je me lève, il fait nuit, et chaque jour, je me réveille avec la gueule de bois – la gueule de bois étant mon propre état normal, avec l'envie de rien si ce n'est de me rendormir.

Heureusement, l'arrivée de mon masseur, qui pourrait être mon confident s'il parlait anglais, russe ou même français, est prévue pour cinq heures, c'est-à-dire dans un quart d'heure, ce qui est plus de temps qu'il n'en faut pour me servir un premier verre, et c'est la main sur la carafe que je suis frappé par trois idées successives : la première : cesser d'écouter du classique et me remettre au rock de ma jeunesse ; la seconde : au fond, je suis stupide de ne pas me confier à Gorka, mon masseur catalan parce qu'après tout, ce qui compte, c'est l'épanchement et puisque Gorka n'en captera pas un traître mot, il ne risque pas, premièrement d'émettre un jugement – je ne supporte pas qu'on me juge – et deuxièmement d'aller colporter à la planète entière. Car Gorka masse la planète entière, de l'ambassadeur des Etats-Unis, à ma belle-mère, en passant par mon psy, Kate Moss, Bernard de la Villardière, François Pinault, Rupert Everett, les Grimaldi, Thierry Ardisson, Yves Saint Laurent, ces imbéciles de Beckhams, du père footeux, à la pouffe autiste en passant par le mioche mieux habillé que moi, Mouna Ayoub, la totalité du groupe Coldplay, Leonardo quand il passe à Paris, et d'une manière générale, dès que quelqu'un passe à Paris ou à Londres, il n'en repart jamais sans s'être fait piétiner le dos par Gorka Lopez, qui n'est pas le frère de Jennifer Lopez mais qui est au massage expérimental ce que cette dernière est au mauvais R'n'b, et je ne veux pas – je ne veux pas – que toutes ces personnes, ou à peu près toutes avec qui j'entretiens des relations courtoises, mais distantes, quand ils me saluent d'une façon amicale et presque intriguée par exemple dans le hall du Prince-Maurice, ou du Palace de Gstaad, ou du Ritz, tout simplement, ou dans n'importe quel Four Seasons ou sur Madison ou chez Cipriani Downtown, au P.M., au Lotus, aux Caves, ou encore de bateau à Riva – leur bateau, mon Riva – et vice versa au large de Saint-Trop ou de Porto Cervo, dans les tribunes du

Grand Prix, ou à une saloperie de bal de charité, incognito dans un club échangiste ou dans un bar à putes moscovite, à dos de chameau dans un quelconque désert, aux funérailles d'un grand couturier, ou d'un gangster assassiné, ou d'une star de ciné, et dans n'importe quels toilettes, héliport, casino, embouteillages, ascenseur, vente aux enchères, sex-shop, Armani Casa, Armani tout court, et même dans une vulgaire rue où seul le hasard pourrait être rendu responsable d'une telle rencontre, eh bien je ne veux pas – je ne veux pas – qu'elles *sachent*. C'est pourquoi je me réjouis de ne pas baragouiner un mot d'espagnol (excepté bien sûr « agua sin gas, por favor », c'est d'ailleurs la seule phrase que je maîtrise dans toutes les langues existantes, même le grec moderne, le suédois ou le coréen, sinon je serais mort de soif depuis longtemps) car pour la première fois, je vais pouvoir parler à quelqu'un. La troisième idée que j'ai eue, et je les énumère selon leur importance, par ordre décroissant, c'est que je vais sortir dans la rue et casser la gueule d'un passant, tout à fait par hasard et injustement, comme si j'étais la vie même, le destin, cette saloperie de destin. Je suis distrait par un coup de fil angoissé de la réception qui m'annonce l'arrivée de Gorka, et je me mets à hurler et à trépigner parce que je leur ai déjà dit dix fois qu'il fallait le laisser monter sans lui infliger ce genre de formalité blessante ; un jour il finira par se vexer, ne reviendra jamais et je n'aurai plus qu'à me rabattre sur le masseur de l'hôtel, or je déteste ça ; la cuisine de l'hôtel, la boîte de l'hôtel, le chauffeur de l'hôtel, le masseur de l'hôtel, ça me donne l'impression désagréable d'être dans un bus à deux étages remplis de Japonais dans le cadre étriqué d'un voyage organisé et de devoir lever la main pour demander au guide la permission de descendre pisser. La porte cède sous les coups de pied de Gorka qui est vêtu de la réplique exacte du costume de Charles Bronson dans *Once upon a Time in the West*, chapeau compris.

— Hi.

— Hi.

Une virile poignée de main et je m'allonge au début de la deuxième mesure de la reprise du thème du *Parrain* par les Guns n'Roses au cours d'un concert au siècle dernier, là, pendant que Gorka me met des coups de poing dans le dos, je lui retranscris le contenu de la page précédente, et il acquiesce à chaque fois que le ton chute. De toute évidence, nous sommes parfaitement d'accord.

— La troisième idée que j'ai eue, Gorka, c'est que je vais sortir dans la rue et casser la gueule d'un passant, tout à fait par hasard et injustement.

— Si.

— Comme si j'étais la vie, même. Le destin, cette saloperie de destin.

— Si.

— Je ne le choisirai même pas, il faut que ce soit totalement absurde. Enfin si, je le choisirai pas trop gros, pas trop grand, pas trop musclé, pas trop nerveux, parce que les types grands, gros, musclés et nerveux sont en quelque sorte prédestinés pour la bagarre, et puis le but de la manœuvre, ce n'est pas que je me fasse casser la gueule, n'est-ce pas ?

— Si.

— Non, j'en prendrai un petit, maigre, un peu timoré, plus de la première jeunesse, carrément vieux, même, croulant, c'est plus original.

— Si.

— Et pourquoi pas une femme, d'ailleurs ? Pourquoi est-ce que ce n'est jamais aux femmes qu'on casse la gueule ?

— Si, si.

— Allez, c'est dit. Je vais casser la gueule à une vieille bonne femme avant le déjeuner.

— Si.

Puis il m'est monté dessus et m'a piétiné le dos pendant quatre-vingts minutes, ensuite, je lui ai donné deux cents euros, et il m'a dit cette phrase « Cria cuervos y te ajancarán los ojos » à laquelle je n'ai strictement rien compris, c'est normal, c'est de l'espagnol, et puis il est parti masser Oussama Ben Laden qui se planquait, à l'époque, dans un hôtel miteux près de la gare Saint-Lazare.

Huit heures plus tard, après quelques coups de fil, une douche quand même et de nombreux cocktails à base d'un peu de jus de fruits et de beaucoup de vodka, je regarde *Amores Perros* dans la salle prévue à cet effet quand Mirko m'appelle, perplexe et braillard, pour me demander où je veux dîner, et j'ai l'impression que je ne sais jamais où je veux dîner alors je lui donne le premier nom qui me vient à l'esprit : le Market, et il faut que je quitte Paris parce que je commence à en avoir assez d'aller dîner au Market tous les soirs, enfin... s'il n'y avait que ça... Mirko soupire de soulagement car il est déjà sur place, puisqu'il a anticipé – ce n'est pas compliqué d'anticiper sur le choix d'un restaurant dans cette ville, mais, me dit-il, avec moi, on n'est jamais à l'abri d'une mauvaise surprise. Flatté d'être imprévisible, je lui dis que je le rejoins dans dix minutes. Epuisé de ma journée, je décide de ne pas m'habiller, de ne pas me raser, de ne même pas me coiffer, et ce sont, je crois, les signes avant-coureurs d'une dépression, j'enfile donc un jean troué, un t-shirt noir au hasard dont je ne suis même pas sûr qu'il m'appartienne, d'horribles baskets et la grosse croix en diamants de ma mère, que je porte chaque fois que je suis déprimé, donc tous les jours. Et avec mes fringues dégueulasses, je sais qu'on ne me foutra même pas la paix, parce que si je suis sûr de ne pas ressembler au jeune milliardaire franco-argentin que je suis, je pourrais parier ma fortune (bon débarras) qu'on va encore me prendre pour une star de ciné, car je n'ai jamais réussi à avoir vraiment l'air d'un clochard. Je file dans le hall, et c'est dans les glaces murales que je capte qu'en fait j'ai surtout l'air d'un con, puisque je porte un t-shirt du Delano à Miami, et que j'ai mon patronyme inscrit en toutes lettres sur le dos, ce qui me donne vraiment, vraiment l'air d'un con, encore plus que s'il y avait écrit « FUCK YOU » ou « LIFE IS A BITCH » ou « MAAF ASSURANCES », et putain ce que j'ai l'air con, encore plus con que Superman, et ça me fout de mauvaise humeur. Pour la peine, je prends la Maranello, parce qu'on ne peut pas complètement se foutre de la gueule d'un mec qui conduit une Maranello, et je ne grille pas un seul feu parce je n'ai pas envie d'être un cadavre ridicule dans un t-shirt Delano.

Au restaurant, on me regarde avec effroi et puis tout de suite après avec un intérêt qui se transforme en curiosité malsaine, et finalement, j'aurais dû mettre un costard, parce que tous les nerds, les has been, les déclassés en portent pour se faire remarquer ce qui en fait le meilleur moyen de ne pas se faire remarquer.

— Ah oui vous êtes Derek Delano, la chaîne nous a prévenus. Tout est prêt.

Cette hôtesse doit être folle, d'ailleurs le manager pense sans doute la même chose que moi, car il lui met un coup de coude qui aurait pu m'émasculer, pour peu que ç'ait été à moi qu'on l'ait mis, à un endroit mieux choisi.

— Je vous accompagne.

Il m'accompagne. Mirko trône, content et avachi, au milieu des gonzesses. Trop de gonzesses, et où est mon « entourage », en français dans le texte, je me sens à poil sans ma bande de larbins au complet, sans compter que je porte ce sacré t-shirt.

— Ils sont malades. La pneumonie atypique. Ils ont un peu trop pris l'avion sur Cathay ces temps-ci.

— Y a trop de gonzesses. Je me sens en minorité et je déteste ça.

— Tu détestes tout, Derek, et tu m'as dit un jour que quand la qualité était impossible, la quantité faisait office de.

— J'ai dit ça ?

— Ce sont tes propres mots.

Ce que je peux sortir comme conneries, et en plus à Mirko, qui les retient contre moi, comme un bon flic californien.

J'ai rencontré Mirko il y a quatre ans, à Monaco, je sortais du casino. Ce jour-là, j'avais essayé d'oublier Julie en perdant beaucoup d'argent, ça n'avait pas marché. Je retournais à ma voiture – une Diablo, à l'époque, j'étais encore un peu flambeur – et que trouvé-je, au volant ? Mirko, à l'arrêt, se démenant comme un beau diable et émettant des vroum vroum perçants, visiblement fasciné par la bête :

— Excusez-moi, ai-je dit, cela vous embêterait beaucoup de sortir de ma voiture ?

— Je t'emmerde, connard, m'a-t-il répondu, crapule, oppresseur, vampire, suceur du sang du peuple.

Puis bruita un 0 à 100 pendant quatre secondes trente, ce qui était bien évalué, c'était exactement la performance de l'engin.

Mes gardes du corps se sont jetés sur lui, et il leur a cassé la gueule.

Depuis ce jour, nous ne nous sommes plus quittés.

— Excuse-moi, mais on t'a déjà dit que tu ressemblais à Albator en plus beau ?

Ma voisine de gauche, elle est blonde, des angles, accent parfait on jurerait qu'elle a grandi en France.

— Je suis Albator, ma poule.

— Mais Albator n'existe pas ?

Sa copine, brune, des angles – il paraît que la photogénie est fonction des angles, je dois être photogénique –, accent parfait, comme si elle avait grandi en France, elle aussi.

— Il ne faut pas croire tout ce qu'on raconte, ma poule.

— Vat is it « carpaccio » ?

Enfin une bonne vieille Ruskov.

— C'est de l'animal mort, répond Mirko.

— Dites-moi, dis-je, m'adressant aux deux francophones angulaires, où avez-vous grandi ?

— En France ! braillent-elles en chœur, et j'ai vraiment la sensation d'être idiot.

— Carpaccio is dégueulasse, I take the « poulet » !

— Le poulet aussi, c'est de l'animal mort.

Mirko est décidément d'humeur sadique ce soir.

— Oh no !

— Je vais à Milan le week-end prochain, est-ce que quelqu'un va à Milan le week-end prochain ?

— Vat about the « foie gras » ?

— De l'animal mort.

— Moi, j'y vais. Quelqu'un d'autre va à Milan le week-end prochain ?

— Il n'y a que de l'animal mort sur cette carte, et toi aussi, un jour, tu seras un animal mort et on te *mangera* !

— Moi aussi je vais à Milan le week-end prochain

La végétarienne sort de table en courant. Une de moins.

— Moi aussi.

— Moi aussi.

— Moi aussi !

— C'est incroyable, dit une des filles, on va toutes à Milan le week-end prochain.

— C'est peut-être parce que ce sont les collections ? hasarde une brune à lunettes. A LUNETTES ?

— Oh mais oui, ce sont les collections ! C'est vrai, c'est pour ça !

— Mais oui !

— Mais oui !

— Mais oui !

Dieu que ces dîners m'ennuient.

— Non, en fait, je trouve que tu ressembles plutôt à Gregory Peck. En vie, bien sûr.

— Je suis Gregory Peck, ma poule.

— Alors ça, c'est faux, intervient la brune, qui a priori, n'aime pas avoir tort, Gregory Peck est mort, j'en suis sûre.

— Et comment peux-tu en être sûre ? demande Mirko.

— Parce que j'avais son numéro de portable, et il n'est plus attribué.

— J'ai changé de numéro, ma poule, ma femme en avait assez que tu m'appelles dix fois par jour.

— Ah bon ?

— Quoi, tu es marié ? demande la brune à lunettes.

— Gregory Peck était marié, ma poule, en admettant que je suis Gregory Peck, on pourrait en déduire que je suis marié, mais on pourrait aussi en déduire que je suis mort, puisque Gregory Peck est mort.

— C'était un grand acteur.

— Quoi, s'énerve, la brune à angles, je ne comprends plus rien ? Qui es-tu ?

— Je ne le sais pas vraiment moi-même, ma poule.

— Qu'est-ce que c'est « ma poule » ? demande la végétarienne, qui était simplement partie vomir aux toilettes.

Mirko est sur le point de poursuivre sa plaisanterie de mauvais goût, je lui lance un regard noir et il ravale sa vanne. La végétarienne est assise à côté de moi, et même si je déteste mon t-shirt Delano, je ne tiens pas à ce qu'elle vomisse dessus.

Dieu que ces dîners m'ennuient. Je distingue l'objectif d'un appareil photo dans la pénombre, et je baisse la tête au moment où j'entends le déclic du flash, puis je me mets en mode surdité pendant que ça passe la commande, j'ai cette faculté étrange de ne plus rien entendre qu'un fond de classique (plus précisément la Symphonie n° 5 de Mahler), quand je le désire, un peu comme si je plongeais la tête dans la piscine de mon hôtel. Et puis j'ai allumé ma clope avec un billet de cinq cents euros, mais ce n'était absolument pas par provocation. Mon briquet, un banal Bic à l'effigie d'Audrey Hepburn, en fait de feu, ne crachotait plus que de pauvres étincelles, et j'étais assis par un malheureux hasard, à une sacrée table de non-fumeuses. Rien de combustible à l'horizon, j'ai fouillé mes poches, et attrapé le premier papelard venu, que j'ai trempé dans mon cognac, approché d'Audrey, ce qui le fit s'enflammer plus que suffisamment pour allumer n'importe quoi, j'aurais même pu foutre le feu au restaurant, si j'avais voulu, et j'admets que ça m'a effleuré l'esprit, toujours est-il qu'au moment où je noyai le brandon dans le cendrier plein d'eau en me félicitant de ma débrouillardise, qui, soit dit en passant, n'aurait pas déshonoré un homo sapiens :

— Are you mad or something ?

La remarque émane de la végétarienne.

— Je vous demande pardon ?

Je fais délibérément semblant de ne pas comprendre l'anglais.

— Si vous ne savez pas quoi faire de votre argent, donnez-le donc à ceux qui sont dans le besoin, poursuit-elle, en russe.

Elle est véritablement indignée.

— Tu n'avais qu'à pas souffler toutes les bougies, salope.

— Vat ?

L'implantation de ses cheveux forme une pointe au milieu de son front, et elle ne ressemble à rien d'autre qu'à un stupide cœur.

— Je pourrais acheter quatorze Ferrari par an avec ce que je crame en charité, sale pute, rétorquai-je, en russe.

— Vat ?

— Et tu sais quoi, je m'en contrefous des enfants malades, c'est juste pour payer moins d'impôts, continuai-je, ignoble et en anglais.

— VVVVat ? ? ? ?

— Et je m'achète quatorze Ferrari par an *quand même* !

— bdkhruofvkjv.

— Tu sais que tu as une tête de cœur ? De cœur stupide même ?

— ..

— Connasse.

Et puis je me suis mis à boire, et à partir de là, le dîner a défilé assez vite. Je n'ai plus répondu aux questions qu'on me posait, et de toute façon, on ne m'en posait pas tant que ça, j'ai fait comme si je ne voyais pas les clowneries de Mirko, ni la pipe que la Tchèque lui a taillée sous la table, pendant qu'il allongeait au serveur, au manager, et d'une manière générale à tout le personnel de l'endroit pour qu'on le laisse se faire sucer tranquille, ni la coke qui circulait sur les assiettes, je n'ai presque rien mangé à part une demi-salade de crabe et quelques brins de gingembre, et les gonzesses n'ont pas mangé grand-chose non plus, au final, la table était couverte de nourriture à laquelle personne ne touchait et ça m'a donné envie de vomir, puis je me suis dit que c'était parce qu'en fait, mon idée fixe, c'était d'aller chez Nobu, et à chaque fois que je portais une cuillerée à ma bouche, je m'attendais à un sashimi de saumon « New style », ou à un sushi tempura, et que je me retrouvais déçu à chaque fois, et pour la peine, j'ai commandé du saké chaud, que j'ai oublié de boire, la conversation – si tant est qu'on puisse appeler ça une conversation – a roulé sur des sujets tels que la mode des Converse, les mauvais agissements des agences de mannequins envers les mannequins, en particulier à Londres, la coke est-elle ou non une drogue, la cruelle absence de climatisation en France, les comédies romantiques avec Matthew McConaughey, les sacs Marni, le cancer du sein, les pratiques sexuelles immondes des hommes politiques et ce type, nommé Herbert, qui les avait toutes sautées, à deux reprises, la brune à lunettes a crié « Rock is dead » et comme s'il s'était agi d'une sorte de signal, toutes les filles ont immédiatement plongé dans leurs sacs, en ont extrait leurs poudriers, leurs pinceaux, leurs rouges à lèvres, leurs gloss, leurs peignes, leurs huiles bronzantes régénératrices pailletées en spray et pendant quelques secondes, elles se sont repeintes avec ardeur et en silence, puis la brune, portant sa main droite à son oreille droite a dit : « Okay... Okay girls... Rock is for ever », et toutes ont planqué leur attirail, et ont recommencé à dîner et à piailler. J'ai mis un peu de coke sur le bout de mon doigt que j'ai passé sur mes gencives, et je n'ai ressenti aucun effet, même pas un peu d'amertume, d'une des poches de la prétendue Tchèque dépassait un passeport français, plusieurs fois, j'ai surpris l'éclair d'un flash, pas une voiture ne passait dans la rue, j'avais le sentiment d'avoir déjà vécu cette scène, Mirko était agité de tics, bien plus agité de tics qu'à son habitude : j'étais complètement parano. A cet instant précis, je décidai que je n'irais casser la gueule à personne, et surtout pas à une pauvre vieille bonne femme, mais que j'irais au bout de cette idée, que j'irais bien plus loin qu'un simple passage à tabac : j'ai décidé de détruire quelqu'un, briser une existence, massacrer un destin, par hasard, et tout à fait injustement, choisir un innocent, quelqu'un qui pourrait être heureux, qui n'a pas encore été corrompu, qui croit en tout, la vie devant lui, l'espoir, et en faire une épave dans mon genre, quelqu'un qui dort en ce moment, rêve d'amour, et d'avenir, sans se douter une seconde que je viens de décider sa perte.

Et juste à cet instant, j'ai cessé de m'ennuyer.

V

AVANT-PREMIÈRE

MANON — Sissi baisait avec tout le monde. Ça ne me posait pas de problème ; c'était son problème. Je ne la jugeais pas. Je ne la méprisais pas. En fait, c'était presque l'inverse.

Vivre seule – et quand je dis vivre seule, je ne veux pas seulement dire que j'habitais seule, je veux dire que du matin au soir, du lundi au dimanche, et quel que soit le nombre de personnes qui se trouvaient dans la même pièce que moi, qu'on me regarde, qu'on me parle, quoi qu'on me dise, j'étais seule depuis que j'étais au monde.

Pour ça, j'aurais bien aimé me faire baiser, moi aussi.

Sissi, je ne l'enviais pas non plus, je ressentais simplement pour elle, cette sorte de respect que peuvent nous inspirer les choses qui nous dépassent. Aller comme ça, tout de suite, avec n'importe qui, n'importe quand, et pour rien du tout. Quelle considération avait-elle pour elle-même à se brader de cette façon ? Je me demandais ce qui pouvait bien se passer dans sa tête. J'espérais que ce n'était que de la naïveté, qu'elle croyait à chaque coup que ce serait son dernier, son unique : « l'homme de sa vie », est-ce qu'à chaque main au cul, elle se voyait mariée ? Ou était-elle arrivée à ce point de non-retour de la désillusion sentimentale, où l'on ne croit plus en rien, où l'on ne veut plus prendre que ce qu'il y a à prendre : le plaisir discutable d'encaisser d'égoïstes coups de boutoir dans une chambre inconnue dans laquelle on ne refoutrait jamais les pieds.

Malheureusement, je crois qu'il ne se passait pas grand-chose dans sa tête. Sissi était idiote. On lui demandait l'heure ? Elle donnait l'heure. Un café ? Elle apportait le café. Cinq cents balles ? Elle les prêtait sur-le-champ. Un coup ? Suffisait de demander.

Parfois, au Trying, pendant son service, des tables entières se tordaient de rire en la montrant du doigt. Elle ne s'en rendait pas compte. Elle servait à boire, changeait les cendriers, essuyait la table, riait avec eux, merci, au revoir. Je lui demandais si elle connaissait ces gens : « des amis ». Et c'était tout. Quiconque l'avait tirée devenait « un ami ».

Et elle en avait des tonnes, des amis.

Ça allait du chef du Trying à quelques-uns de ces gros clients vénérés par l'Ordure, qui débarquaient toujours à quinze, monopolisaient le restau, et raquaient seuls, sans sourciller, les mille cinq cents euros d'addition, sans que les convives sourcillent non plus, comme si c'était normal. Sissi était chargée de ceux-là, elle encaissait les plaisanteries scabreuses, elle encaissait les mains au cul et les regards condescendants des femmes, et puis elle encaissait le pourboire. Un sacré pourboire.

L'Ordure aussi l'avait tirée, bien sûr. Le sommelier. Le voiturier. Et tous les habitués. Et dès que quelqu'un de connu avait le malheur de passer dans le coin, vous pouviez être sûr qu'elle ne le lâcherait pas sans avoir décroché un rencard. Et ses « rencards », c'était comme ses « amis ». Elle avait des rencards à deux heures, trois heures, quatre heures du mat, après les soirées où on ne l'emmenait pas, après qu'on avait déposé la petite amie officielle. Chez eux, chez elle, dans des bars d'hôtel, dans des chambres d'hôtel, au coin des rues, dans des boîtes de nuit, de strip, à partouzes. Et elle y allait. Et le lendemain, elle arrivait en retard au boulot et l'Ordure ne bronchait pas, bien entendu. Elle arrivait courbatue, cernée, fière d'elle, et elle me disait que ça s'était très bien passé, et c'était tout, encore. Quant à « l'ami », on ne le revoyait jamais. Le soir même, elle passait au suivant.

Elle savait tirer parti de sa petite vertu. Les « people » qu'elle se faisait ne lui apportaient rien d'autre qu'un sentiment très illusoire de supériorité, par exemple, quand nous étions coincées dans les embouteillages, elle klaxonnait avec violence, vraiment excédée qu'on ne se range pas pour la laisser passer alors qu'elle avait consommé Puff Daddy la veille. Elle n'était jamais si heureuse que le lundi matin, quand l'un des runners nous apportait la presse à scandale. Elle prenait immédiatement une pause, m'entraînait dans un recoin du Trying et tournait avidement les pages, à la recherche d'un ex qu'elle puisse appeler par son prénom, en émettant des appréciations qui n'avaient d'autre utilité que de satisfaire son désir de se faire mousser à peu de frais : « Tiens Machin est maqué, et soi-disant fidèle, tu parles, on verra ça la prochaine fois qu'il s'arrête à Paris. » J'ai cru qu'elle allait mourir de joie, le jour où elle se découvrit assise aux côtés de Mick Jagger au Plaza dans les pages Nuit... En attendant, elle ratait tous ses castings.

Quant aux avantages qu'elle retirait de sa facilité, elle était loin de les devoir à la fine fleur de son palmarès, mais plutôt à ceux qui ne la mettaient guère en valeur, son appartement, c'était un horrible Saoudien qui lui avait prêté, à chaque fois qu'elle pétait sa bagnole, elle savait où s'adresser pour que ça ne lui coûte rien d'autre qu'une simple pipe, l'Ordure lui foutait une paix royale et la payait comme un chef de rang, des stylistes hétéros l'habillaient, on l'invitait au restau, elle ne revenait jamais d'un rencard sans un nouveau téléphone, des

DVD, des paquets de clopes, un pull en cachemire trois fois trop grand pour elle qu'elle ne rendait pas, puisqu'on ne lui réclamait pas, puisqu'on ne la rappelait pas, une bouteille de champagne, des bouquins qu'elle ne lisait pas, qu'elle emportait parce qu'elle n'avait rien trouvé d'autre, histoire de ne pas repartir les mains vides. La seule chose qu'elle n'avait jamais réussi à obtenir sur l'oreiller, c'était du boulot. C'était une actrice déplorable, quand elle simulait l'énervement, elle avait simplement l'air défoncé, et quand elle jouait la tristesse, elle paraissait plus bête que jamais. Aussi avait-elle beau se taper tout ce que Paris comptait de producteurs, réalisateurs, acteurs, directeurs de casting consentants, ceux-ci, s'ils consentaient à la tirer, ne s'étaient jamais résolus à compromettre leur crédit pour la recommander. C'étaient les seuls qu'elle rappelait, et elle s'acharnait sur leur sempiternelle messagerie pendant des semaines entières jusqu'à ce qu'elle abandonne pour une autre proie.

Je peux dire que j'ai beaucoup appris à son contact : c'était le meilleur des exemples à ne pas suivre.

En tout cas, et comme quoi le destin n'est pas très sélect dans le choix de ses messagers, c'est elle qui m'a emmenée à cette soirée où j'ai rencontré l'homme qui devait changer ma vie, et faire de moi ce que je suis devenue.

La plus récente conquête de Sissi, c'est-à-dire celle

de la veille, combinait à un faciès ingrat et une bonne centaine de kilos en trop, les fonctions de directeur de la plus grosse société d'événementiel d'Europe nommée, je crois Really VIP. Elle était spécialisée dans les mariages princiers, les concerts privés de Michael Jackson aux anniversaires des fistons de chefs d'Etats africains, les locations de hauts lieux politiques pour faire des fêtes dedans, et surtout, surtout, les avant-premières de superproductions américaines où se bousculaient tellement de stars, que le concept de star ne signifiait plus rien.

Ce jour-là, elle arriva au Trying avec les yeux qui lui sortaient presque de la tête. A son attitude, je me suis dit que cette fois-ci, elle avait fait très fort et gagné un écran plasma, un collier en diamants, une voiture de sport, ou un tableau de maître volé. Elle avait fait plus fort que ça, en tout cas à nos yeux de groupies ; le soir même avait lieu l'avant-première du dernier film d'un certain Karénine, dont le casting ne réunissait rien de moins que Leonardo Di Caprio, Viggo Mortensen, Yehudi Maas, Brittany Murphy et Naomi Campbell dans un rôle de sourde-muette, DLD Productions donnait après la projection une gigantesque « party » dans un endroit tenu secret jusqu'à H-2 avant que pète le premier bouchon de champagne, Really VIP avait fait venir par avion privé des cargaisons de people, débauché pour la soirée tous les chefs de tous les Nobu du monde, y compris Nobu lui-même, fait faire par John Galliano cent t-shirts sur lesquels étaient imprimés l'affiche du film pour les offrir aux invités, la nuit serait hot, électrique, rock'n roll et scandaleuse et dans cette explosion de glamour, les noms obscurs de Simone Bouchard, dite Sissi, et Manon D étaient inscrits, noir sur blanc, sur la liste clef du paradis.

A dix heures moins deux, nous étions postées chez elle, coiffées, maquillées, habillées, prosternées devant le téléphone qui trônait exactement au milieu de la table basse du salon, dont nous avions débarrassé tout le fatras pour éviter la moindre possibilité d'interférence avec les ondes Orange.

A dix heures quatorze, il sonna. C'était la mère de Sissi. A peine eut-elle décliné ses qualités : « Sissi, c'est maman, est-ce que tu viens nous voir pour Noël ?... », que Sissi, étouffant un cri de rage coupa la communication sans explication.

A dix heures cinquante-trois, Alistair, de Really VIP, nous apprit enfin, avec, l'accent écossais, que la soirée suivant l'avant-première de *Superstars* aurait lieu au Pavillon des Champs-Elysées et débuterait à onze heures trente précises. Tut, tut, tut... Alistair avait déjà raccroché.

Nous tombâmes dans les bras l'une de l'autre, étreinte dont nous nous arrachâmes précipitamment pour aller nous passer une septième couche de peinture sur le visage.

Sissi utilisait des produits surréalistes, dont je

n'aurais jamais soupçonné l'existence, comme cette huile pailletée dont elle s'aspergeait le décolleté, les bras et les jambes et qui la rendait luisante comme un gladiateur au combat, ou cet outil de torture qui servait à recourber les cils, et avec lequel je me broyai la paupière à trois reprises.

Un dernier coup de pinceau et nous ressemblions à deux transsexuels, je l'en informai, mais elle dissipa mes doutes en me disant que Brittany Murphy serait sans doute beaucoup plus maquillée que nous, et que « de toute façon, dans le noir, ça se voit pas ».

Nous étions prêtes. Elle accrocha des brillants à ses oreilles, autour de son cou, à ses doigts, à ses poignets, et autour de sa cheville droite, par-dessus sa botte. Moi, je ne portais aucun bijou hormis ma gourmette en or, gravée à mon prénom, que mon père m'avait offerte. Elle me conseilla de l'enlever, elle trouvait que ça faisait province, mais au fond, elle s'en foutait, j'attrapai mes clefs de voiture sans relever, et nous partîmes.

Pendant que je conduisais, planait un religieux silence. Nous n'avions même pas pensé à allumer la radio. Sissi, nerveuse, ouvrait son sac, passait en revue son contenu, et le refermait sèchement, puis elle le rouvrait, baissait le miroir, sortait son pinceau et son poudrier, retouchait, les rangeait, refermait son sac, le rouvrait, inventoriait de nouveau son contenu, en tirait son rouge à lèvres et son gloss, s'en peinturlurait la bouche, et ainsi de suite.

Je n'avais pas rappelé Georges. Il avait été assez clair et je ne voulais pas en passer par là. Sissi n'avait jamais voulu me rencarder sur ses castings, je ne savais pas trop comment m'y prendre et je commençais un peu à me décourager. J'attendais, simplement. J'attendais, j'espérais.

J'ai roulé sans phares jusqu'aux Champs-Elysées. Sissi m'avait prêté pour l'occasion une robe en soie rouge, fendue jusqu'au ventre sur le devant, et qui descendait à peine plus bas que le haut de mes cuisses, et puis de grandes bottes à talons aiguilles, assorties, avec lesquelles je ne parvenais pas à appuyer sur les pédales. C'était la première fois que je portais de la soie, et c'était agréable. C'était aussi la première fois que je sortais à Paris. Sissi ne m'avait jamais emmenée nulle part, ni dans ses boîtes de nuit où elle connaissait tout le monde et où elle croisait régulièrement les clients du Trying, et encore moins à ses rencards. Je me disais que notre amitié avait progressé, et que c'était pour cela qu'elle m'avait demandé de l'accompagner, mais en réalité, j'étais là simplement pour servir de point de chute, quelqu'un à qui parler au cas où elle se retrouverait seule. Tout à l'heure, Sissi, me voyant habillée, avait finalement refusé de me prêter le sac et le manteau qui complétaient ma tenue, et du siège passager, elle avait une façon anxieuse de fixer mon profil. C'est avec brusquerie qu'elle me demanda de me garer le plus loin possible du Pavillon des

Champs, car elle ne voulait pas qu'on la voie sortir de ma voiture. La sienne avait rendu l'âme le matin même, et, épuisée par ses efforts de la nuit, elle n'était pas en assez bonne condition physique pour rétribuer son garagiste en nature. Nous avions pris la mienne, et d'après Sissi, c'était presque une faveur qu'elle me faisait que de s'asseoir sur mes sièges élimés. Donc, je me suis garée aussi loin que possible, dans une petite rue qui faisait l'angle avec l'avenue Franklin-Roosevelt. Je laissai mon manteau dans la voiture, parce que j'en avais honte, je glissai mes clefs et mon paquet de cigarettes dans ma botte, et nous nous sommes mises en route. Sissi marchait allègrement, emmitouflée dans le vison dont lui avait fait cadeau un de ses « amis ». Pauvre de moi, qui progressais tant bien que mal, les jambes et les bras nus par moins dix degrés de froid.

Dès que nous avons tourné le coin de Franklin-Roosevelt, j'ai aperçu la foule. Je n'avais jamais vu ça. En deux heures, l'information s'était propagée chez les non-initiés, et ceux-ci, tentant le tout pour le tout, s'étaient précipités sans invitation, sans personne à rejoindre dans l'espoir que je comprenais fort bien d'apercevoir un bout de Leonardo Di Caprio, ou un cheveu de Brittany Murphy. J'étais exactement dans la même situation, à cela près qu'eux n'avaient pas la chance, comme moi, d'avoir une amie qui s'était fait l'organisateur.

Sissi m'agrippait le bras, et nous progressions lentement. Il y avait une grille, avec deux entrées. A gauche, un petit maigrichon, avec un chapeau de cow-boy, flanqué de cinq gorilles, tenait la fameuse liste. C'était là que s'écrasait la multitude, arguant des amis déjà à l'intérieur, arguant des cousinages avec l'organisateur, avec le président de DLD Productions, avec Leonardo, même, arguant que, si, leur nom était bien sur la liste, mais que le petit maigrichon ne savait pas lire, et celui-ci hurlait, agitait les bras, demandait aux gens de reculer, et personne ne reculait, alors il envoyait un gorille les repousser, et tous reculaient et restaient en retrait pendant quelques secondes, puis reprenaient d'assaut la grille qui tremblait dangereusement. A droite, il n'y avait pas de petit maigrichon, pas de liste, simplement des grilles, et des grilles, jalonnées de videurs, qui se prolongeaient jusqu'à la rue. A cet endroit précis s'arrêtaient les limousines, et les voitures de sport, leur contenu, escorté de ses propres gardes du corps descendait immédiatement, avec une dextérité qui témoignait d'une longue pratique, et gagnait l'entrée en vitesse. Deux Voyagers vitres teintées ouvrirent leurs portes, « C'est Leonardo, c'est Leonardo » chuchotait la foule dans tous ses états. Dix types en baggy et en t-shirts larges jaillirent des voitures, je me tordais la tête, cherchant le profil familier, mais Sissi, très au fait, me glissa que ce n'était que sa bande de copains et qu'il avait dû arriver bien plus tôt et par une autre entrée. Un hélicoptère atterrit dans le jardin. Nous n'étions plus qu'à quelques mètres du but. Je distinguais les arêtes du nez du petit maigrichon, l'expression impassible des videurs (qui en avaient vu d'autres), et toutes ces mains qui se tendaient, tentant de capter l'attention. A gauche, personne ne rentrait. J'avais mal à la tête et l'impression de regarder la scène à travers du verre dépoli.

Sissi luttait à mes côtés pour parvenir jusqu'à l'homme à la liste, elle donna un coup de coude de trop et tout un groupe de personnes l'insultèrent. Elle répondit sur le même ton, et leur conseilla vivement de rentrer chez eux puisqu'ils n'avaient aucune, mais alors aucune chance de rentrer. Elle n'avait même pas besoin d'aller vérifier ; ils n'étaient pas sur cette liste, il suffisait de voir leur sale gueule pour comprendre immédiatement qu'ils s'étaient trompés d'endroit. Tout cela aurait pu mal finir mais je me rendis compte que le petit maigrichon pointait son doigt dans notre direction. Sissi s'en rendit compte également et se tut. Et le groupe de belligérants de même.

— Vous. Oui, vous. En rouge.

En rouge, ça devait être moi.

— Venez. Mais venez, enfin !

Sissi m'attrapa le poignet et m'entraîna jusqu'à lui, les gens s'écartaient devant nous.

— Vous vous appelez comment ?

— Manon.

— Allez-y.

Il détacha le cordon. Nous sommes passées, nous sommes entrées, il n'avait pas jeté le moindre coup d'œil à la liste.

C'était interminable à l'intérieur, et magnifique. Les haut-parleurs diffusaient le *Printemps* de Vivaldi. On a pris le manteau de Sissi, moi, je n'en avais pas, et on m'a regardée comme si j'étais folle, on nous a remis un petit sac, puis on nous a guidées jusqu'à la salle. Au fur et à mesure que je me rapprochais, des sons barbares, des basses à vous rendre sourd s'amplifiaient, défigurant la musique classique. Au moment où je passai la porte, le *Printemps* avait disparu. J'avais à peine identifié *Paint it black* des Stones, que Sissi était déjà très loin. Plantée devant l'entrée, j'ai découvert ce que c'était que la vraie vie. Cinq cents personnes en mouvement dans une pièce supposée en accueillir cent, et je connaissais depuis toujours au moins la moitié d'entre eux. Il y avait la fille sur l'emballage de mon rouge à lèvres, qui discutait avec Spiderman, des créatures à peine humaines, avec des bras et des jambes qui n'en finissaient pas, et les cheveux dans le visage, et toutes le même sourire d'Américaines tellement heureuses de vivre, dansaient déchaînées, et rejetaient à chaque seconde les tentatives d'approche d'hommes qui n'étaient rien de moins que le guitariste des Red Hot, ou George Clooney. Un plateau de champagne passa à proximité, je saisis une coupe et la vidai d'un trait. J'entrepris d'inventorier les ex de Sissi, il n'y en avait pas tant que ça, mais il y en avait. Yehudi Maas, par exemple, qui tirait Stella McCartney par la manche, et je me suis dit que c'était assez pathétique de la part de Sissi que de s'incruster à une soirée d'avant-première en se prostituant auprès du RP alors qu'elle avait baisé la moitié du casting. Il y avait des projecteurs qui balayaient la foule, et quelques flashes furtifs qui déclenchaient les foudres des stars sur les pauvres photographes qui faisaient leur boulot : « No photo ! No photo ! », ceux-ci n'étaient de toute façon pas admis dans le coin vraiment VIP, qui abritait l'équipe du film. Aux toilettes, je faillis me mettre à pleurer, quand, à côté de moi, dans le miroir, j'aperçus la perfection faite femme qui se lavait les mains. Je me dis que je n'avais pas ma place ici, qu'elles étaient toutes comme ça, et que je conquerrai Leonardo dans une autre vie, à condition que je me réincarne en vraie bombe. Puis, je réalisai que c'était Elle McPherson et qu'il n'y avait que huit femmes comme elle au monde. Je soufflai. Puis, et comme quoi, « the place to be » ce soir, c'était les toilettes, Brittany Murphy émergea d'une des portes, elle n'était absolument pas maquillée (Sissi avait encore raconté n'importe quoi) et d'ailleurs beaucoup moins belle qu'Elle McPherson. Elle me prit le poignet pour examiner ma gourmette de plus près, et me dit, en VO, sans sous-titre, qu'elle trouvait ça très joli et qu'elle voulait s'en faire faire une pareille, mais avec « Brittany » écrit dessus, n'est-ce pas, pas Manon. Puis elle me souhaita une bonne soirée et quitta les toilettes. Brittany Murphy, en plus d'être une grande actrice, était une fille formidable, adorable, simple, et surtout, elle avait bon goût. Dorénavant, j'irais voir tous ses films. Je quittai les toilettes, à mon tour. De retour dans le feu de l'action, et forte des liens nouveaux qui m'unissaient à Brittany Murphy, je considérai la foule avec assurance. C'est à ce moment-là qu'un type avec une tête de manager m'aborda. Je n'avais jamais vu de manager de ma vie, et d'ailleurs, je ne savais pas exactement en quoi consistaient les fonctions d'un manager, mais j'imaginai qu'un manager devait avoir tout à fait cette tête. Je ne m'étais pas trompée, c'était bel et bien un manager, et je n'ai rien compris à ce qu'il m'a raconté, mais en tout cas, il m'emmena dans le coin vraiment VIP, et je lui en fus reconnaissante. La vraie vie... La vraie vie, c'était de regarder Leonardo grandeur nature sur une affiche, et juste devant l'affiche, Leonardo lui-même. Et à côté de Leonardo, il y avait quelqu'un que tous traitaient avec encore plus d'égards. Il n'était pas en représentation. Il était assis, presque planqué, et il avait l'œil sombre. A sa gauche, une bombe, à sa droite, une bombe. On m'a placée face à lui, on s'est enquis de ce que je voulais boire, et on ne m'a pas du tout apporté le Coca Light que j'avais demandé. J'ai eu droit à un cocktail orange, dont le goût de pêche masquait habilement celui de l'alcool, en quantité massive si j'en juge à l'état dans lequel je me suis retrouvée. Mon voisin me parlait anglais, en voix off. Moi, je regardais l'autre.

— Lady in red ? Do you want something else to drink ? Lady in red ? I'm talking to you. Lady in red ? Look at me, please !

L'autre ne bougeait pas. L'autre ne regardait personne. Il avait un verre à la main, qu'il portait à ses lèvres de temps en temps, avec l'air d'avoir envie de se noyer dedans. Et j'avais l'impression que la pièce était plongée dans le noir, avec simplement un projecteur braqué sur l'autre. Et toutes les personnes présentes étaient animées par un fil, comme des marionnettes, je les voyais presque, ces fils, emmêlés par tout ce mouvement, ils aboutissaient tous dans la même main, et c'était la main de l'autre.

Je lui ai demandé s'il parlait français. Il a sursauté. M'a dévisagée, comme si je venais de l'insulter. Et tous se sont figés à la table. Puis, il a acquiescé. Il a regardé la fille à sa droite, et celle-ci s'est levée. Puis il m'a regardée moi, et j'ai pris la place de la fille. Des marionnettes. Et j'en étais une aussi. Il parlait avec effort, comme s'il était essoufflé, d'une voix rauque, étouffée. Ses phrases étaient hachées. Il se fichait que je comprenne, je crois.

D'où tu viens ?... Avec ta robe des années 80... Tes cheveux sur tes épaules... T'as même pas de sac à main... D'où tu t'es échappée ?...

Simplement de ma campagne... De mon village... De ma province.

Qu'est-ce que t'es venue chercher ? T'étais pas bien là-bas ?

Je veux faire du cinéma.

Du cinéma... Comment tu vis ?

Comme je peux.

T'es mannequin ?

Je suis serveuse.

Tu dis ça... Comme si t'en étais fière...

Je n'en suis pas fière, mais je n'en ai pas honte.

N'aie pas honte... Alors tu sers les autres en rêvant de la gloire, tu t'éclipses à la pause pour courir les castings, et le soir, quand tu sors, tu as l'impression d'être déjà une star ?

Je sers les autres, mais mes rêves m'appartiennent, et je ne sors jamais.

Et qu'est-ce que tu fais là ?

C'est la première fois.

Du cinéma... Pourquoi ? Pour être riche, célèbre, pour qu'on t'aime ?

Non.

Pourquoi ?

Pour changer de vie. A chaque rôle. Changer de peau. Changer de passé. Changer de nom. Changer d'histoire. Changer de visage. J'ai détesté ma vie, je veux en essayer d'autres.

Foutaises... Tu veux l'argent facile, le luxe et les hommages, qu'on t'envie, même quand on te plaindra, du monde à ta merci, des caprices de diva... Et tout ça...

Peu importe...

C'est vraiment ça que tu veux ?

Oui... Je ferais n'importe quoi.

N'importe quoi... Quel genre de n'importe quoi ?

Tout. Je vendrais mon âme au diable...

Vraiment ?...

VI

C'EST LA FILLE

DEREK — J'ai trouvé la fille. Trouvée ? Pas vraiment. Je l'ai ramassée plutôt ; elle avait l'air paumé d'une orpheline qui regarde passer les monospaces sur une aire d'autoroute, elle n'était pas mal, naturellement gracieuse sans en faire des tonnes, malgré son espèce de robe rouge scintillante à en faire mal aux yeux que Michelle Pfeiffer aurait pu porter dans *Scarface* sans que ça détonne, seulement voilà, *Scarface*, c'était en 83. Je l'ai tirée tout de suite, évidemment, dans le genre « je te plaque contre tous les murs de l'hôtel avec fougue, je t'ai déjà à moitié baisée avant même d'être arrivés au bon étage, j'ai du mal à ouvrir la porte – forcément, tu me suces : je suis distrait – tu fais sauter tous les boutons de ma chemise, peu importe, j'en possède environ deux mille, les fringues en boule par terre, comme un jeu de piste jusqu'à mon pieu sur lequel j'ai à peine le temps de monter avant d'éjaculer et on remet ça », et tout détail supplémentaire serait superflu car après tout, c'est toujours la même chanson de coups de langue un peu partout, puis de fourrage de doigts, de fourrage de bite, de râles un peu pathétiques, une expression de démence sur le visage, les yeux exorbités, la bouche déformée, le mélange des fluides, et tout ça est après réflexion assez absurde car répétitif, et assez dégueulasse car visqueux, en tout cas, je me sens vidé – ceci n'est pas un mauvais jeu de mots – donc je passe dans la salle de bain me laver les mains, parce qu'après tout je ne connais pas cette fille, et je me surprends à me trouver vraiment, vraiment beau dans cet éclairage en sourdine, les traits un peu tirés et le peignoir qui bâille, puis, totalement hors de propos, j'ai enfilé des lunettes de soleil Gucci qui, malgré l'élan créatif qu'avait dû nécessiter leur élaboration, ne ressemblaient à rien d'autre qu'à une paire de Ray-Ban ratées, et j'ai posé avec, et je me suis estimé follement rock'n roll – juste avant de me trouver follement pitoyable, avec mon peignoir, mes abdos, et mes lunettes de gonzesse dans le noir, puis je me suis rappelé qu'il y en a qui se sont noyés comme ça, et, entendant l'intro de *Roxanne* de Police somptueusement diffusée par mes enceintes Apogée, j'ai réintégré la chambre et la fille, et en play-back, lui ai fait part de mes pensées profondes à son égard, la nommant Roxanne comme par mégarde et lui expliquant qu'elle n'avait ni à porter cette robe ce soir ni à vendre son corps à la nuit, hein Roxanne, mais compte tenu de sa connaissance approximative de l'anglais, je suis sûr qu'elle n'a rien saisi du message, en revanche elle a sans doute trouvé ça romantique, car elle est de cette génération de gonzesses, vingt ans en l'an 2000 qui trouveraient romantique de tailler une pipe dans un carwash, pour peu que le mot « s'il te plaît » soit prononcé, enfin tout ça pour en venir au fait que depuis que j'ai arrêté de me droguer, je suis beaucoup plus sensible aux effets de l'alcool, ou alors, j'ai peut-être vieilli, et je pense au temps pas si éloigné, quand j'attendais de grandir, et je me dis qu'il n'y a rien de pire que ce moment où on cesse d'avoir envie de grandir pour commencer à redouter de vieillir, puis je me demande si c'est à classer dans les lieux communs ou pas (ce ne serait que le trente-septième aujourd'hui), et je sens l'âge peser sur moi, peser, vingt-neuf ans déjà, et plus de souvenirs que si j'en avais mille et Manon veut éteindre toutes les lumières, et j'essaie de m'y opposer quand un bruit sourd dans le couloir me fait sursauter, alors je resserre la ceinture de mon peignoir et traverse le kilomètre qui sépare mon lit de la porte d'entrée, en prenant le temps de faire un clin d'œil à Cindy qui défile pour Jill Sander sur le plasma du salon, j'attrape la guitare électrique de Mirko, une vieille Gibson Les Paul collector, que je lui ai offerte à sa dernière sortie de prison, bien déterminé à la casser sur la tête de quiconque me voudrait du mal, et j'ouvre brusquement la porte, guitare en l'air. Mirko, ronflant, s'effondre sur mes pieds nus : cet imbécile a encore oublié sa carte et s'est encore endormi devant la porte en rentrant de je ne sais quelle nouba, sachant qu'il est atteint d'un TOC qui ne se manifeste que quand il dort, ou qu'il est défoncé, ou les deux, par des mouvements involontaires d'une violence extrême comme par exemple cette fois, sur le bateau, quand, déglingué par le freebase qu'il s'envoyait à fréquence de douze fois par jours depuis trois jours, il a balancé ma propre belle-mère par-dessus bord au large des Caraïbes, en plein milieu des requins blancs, enfin, ce jour-là aurait été un bien beau jour si elle avait pu se faire bouffer, la salope liposucée jusqu'aux chevilles, mais malheureusement ces sales bêtes n'étaient sans doute que moyennement friandes de Botox, ou peut-être ont-elles senti – le fameux sixième sens des bestioles – que ma belle-mère, dans un face-à-face avec un requin était plutôt du genre à bouffer le requin que l'inverse, enfin, toujours est-il qu'en ce moment même, les troubles obsessionnels compulsifs de mon ami Mirko se traduisant plutôt par une volonté nette de dégrader à coups de poing non seulement la porte de ma chambre, mais aussi ma tranquillité d'esprit, et par extension, mon état mental, le mot clef étant ces jours-ci : parano, parano, parano, je le réveille d'une paire de claques, et lui suggère de partir en week-end à Milan, ce qu'il fait docilement et immédiatement.

Puis, avisant la cacophonie qui filtre à travers la porte d'en face, je pense coalition, coalition, coalition, alors je frappe, je sonne, je hurle, et une brune pas mal avec une oreillette, m'ouvre la porte et se décompose en me voyant.

— J'aimerais dormir cette nuit *pour une fois*, dis-je, alors vous serez gentille d'arrêter cette musique de sauvages.

— C'est Mozart, connard.

Elle me claque la porte au nez, et elle ressemble d'une façon troublante à la brune à lunettes sans ses lunettes, de cet épouvantable dîner de connes.

— On n'écoute pas Mozart à fond comme un vieux tube d'NTM dans une M3 rouge avec un aileron un samedi soir sur les Champs.

Silence. Porte close.

— Ce n'est pas une auberge de jeunesse, ici.

Porte close. Début du Confutatis.

— Tu crois que t'as un look d'enfer avec ton oreillette ?

Porte close, je commence à avoir l'air d'un con.

Un garçon passe avec un chariot plutôt chargé compte tenu de l'heure et de la capacité des chambres à cet étage. Je l'interroge du regard.

— Y a une partouze chez les Saouds du troisième.

— Ah, dis-je, mort de jalousie, les pratiques

abjectes des autres clients ne m'intéressent pas, en revanche, faites quelque chose pour moi, foutez donc dehors les occupants de cette chambre-ci.

— ... ?

— Ils sont... euh... mal élevés.

— Mais monsieur Delano, il n'y a personne dans cette chambre.

— Comment ? Ce n'est pas du Cristal rosé ?

Je parle de la bouteille sur le chariot, destinée aux Saoudiens échangistes, c'est du Cristal tout court, et une année de merde : je jubile.

— Non, monsieur Delano.

— Et qu'est-ce qu'ils bouffent avec ça, des menus enfants, hein, steak haché purée ?

— Hum hum.

— Bref... euh... foutez-moi ces gens dehors et on en reste là.

— Parce que... vous les soupçonnez d'avoir commandé des menus enfants ?

— Mais pas les Saoudiens, eux là ! Vous n'entendez pas la musique, c'est inadmissible, il est trois heures du matin !

Je donne des coups de pied dans la porte.

— Quelle musique ?

— Le *Requiem* enfin !

Il me regarde comme si j'étais fou, et je réalise que règne le plus absolu des silences.

— Il n'y a personne dans cette chambre, monsieur Delano. Bonne nuit.

Il disparaît avec son chariot, et je suis presque sûr que lui non plus n'existe pas, finalement. Pendant que je regagne à pas lents mon lit – ce qui me semble être mon lit – je réalise que je suis peut-être devenu complètement dingue, et qu'entre la mort de ma mère, de mon père, de Julie, et la solitude, je m'étonne juste d'avoir attendu tout ce temps avant de quitter ce vilain monde réel où les gens sont laids et méchants pour un paradis retrouvé peuplé d'amis imaginaires ou ressuscités. Donc me voilà schizo, qu'y puis-je ? Ma suite est obscure et silencieuse, dix mètres me séparent du plafond, et je suis aussi dérisoire qu'un être humain dans l'univers. Manon dort, et je la regarde dormir. Elle a les yeux bleus sous ses paupières closes, et quelque chose de triste, et quelque chose de Jane Birkin. Elle a une gourmette en fer attachée au poignet, un objet cheap, et kitch, avec de grosses mailles, et son prénom gravé, et je me dis que quelqu'un qui l'aimait l'a fait faire pour elle et le lui a donné et je me demande ce qu'elle cherche exactement pour préférer être là, sur mon lit, avec moi qui ne lui veux rien de bon.

Je m'allonge à côté d'elle, et je ferme les yeux, sachant très bien que je ne dormirai pas. Je ne dors plus depuis longtemps, et je redoute la nuit comme une vérité qui fait mal. Il n'y a pas d'alternance de joie et de peine, il n'y a que la peine, et la joie est simple état de grâce. Toute la journée je me shoote au monde, aux gonzesses, aux apparences, comme autant de morphines qui calment la douleur mais pas la maladie, puis les effets se dissipent, c'est la nuit, je ne dors pas, et j'ai maaaaal.

— Monsieur Delano ?
— Monsieur Delano ?
— Enfin Derek, fais un effort, on te regarde.

J'émerge de mon coude droit, sur lequel je m'étais à la base appuyé juste un instant, juste pour soulager un peu mon cou d'avoir à supporter mon énorme tête, et comme on aurait pu le prévoir étant donné l'heure matinale – est-ce possible d'être debout à neuf heures, et puis propre, en costume, rasé, en forme ce qui implique en plus d'être là, des heures de préparatifs et de petit déjeuner vitaminé – je me suis évidemment endormi, et je sais que j'ai l'aspect d'une sorte de mare de boue dont ne dépassent que mon nez et ma Panerai. J'ouvre l'œil droit, puis, dans un effort surhumain, le gauche, et voyant les quinze tronches indignées, je n'ai qu'une seule envie, c'est de me laisser aller pour replonger dans le monde bienheureux des cauchemars, et j'ai quelques secondes d'angoisse pendant lesquelles je me demande si je ne serais pas par hasard en plein dedans et si je ne viens pas non de me réveiller, mais de m'endormir, cependant ma Panerai est bien réelle : je n'aurais pas pu inventer son numéro de série, et de toute façon, tout m'est égal. Je me contrains donc, agrippant la table du restant de mes maigres forces, à réintégrer la position assise et à inventer n'importe quoi.

— Hum...

— Monsieur Delano ?

— Je vais parler. Un moment je vous prie.

— ...

— Tout d'abord, dis-je, je tiens à vous dire que je ne dormais pas, mais que j'étais en train de réfléchir. Chacun a ses petites manies, n'est-ce pas, et il se trouve, que j'ai la manie de réfléchir les yeux fermés et hum... la bouche euh ouverte. C'est meilleur pour la hum... concentration.

— Bon Derek, dans ce cas-là, que faisons-nous ?

C'est Oscar qui a parlé, je regarde ses grands yeux marron et j'y découvre, halluciné, que ce type me fait confiance. Il attend bel et bien le verdict du maître – je suis le maître. Et quand le verdict tombera, il exécutera, et je n'ai qu'un mot à dire. Oscar porte un costume de coupe un peu désuète, un vieux costume Arnys, il n'a pas de lunettes aujourd'hui, est-ce qu'il les aurait remplacées par des verres de contact, « tellement plus confortables, tellement plus esthétiques », et j'espère, j'espère que son horrible cravate est un cadeau de l'un de ses trois morveux, car j'ai un peu de mal à imaginer quiconque entrer chez un cravatier ou même une vulgaire boutique de prêt-à-porter et tomber en arrêt devant cette cravate en battant des mains et hurlant : « Celle-là ! C'est celle-là que je veux ! Je la porterai pendant les assemblées d'actionnaires extraordinaires pour donner envie de dégueuler à mon boss en pleine descente d'acides au moment où il prendra la parole ! » Tandis qu'un chiard peu scrupuleux chope la première cravate Tintin venue, histoire de ne pas arriver les mains vides à la fête des Pères, et de ne pas repartir les mains vides, surtout. Oscar est si humblement sympathique, ses chaussettes blanches m'attendrissent aux larmes.

— Monsieur Delano ?

— Oui, oui. Hum. Mon père a acheté le monde et il me l'a laissé. Vous, moi, nous, ne sommes que poussières euh misérables, misérables poussières auprès de l'œuvre gigantesque accomplie par mon père euh Javier Delano, qui a fait d'une disons petite exploitation familiale le plus grand groupe pétrolier de euh l'histoire du groupe pétrolier, histoire sulfureuse et mouvementée dont les racines se perdent dans...

— Racheter des puits au rabais à de pauvres fermiers analphabètes du fin fond du Venezuela, vous parlez d'une œuvre gigantesque.

Il a chuchoté mais je l'ai entendu, la tantouze chauve en costume Hedi Slimane pour Dior, rayé, trois boutons.

— Je vous prierais de vous tenir tranquille, vous là, avec la calvitie, vous insultez la mémoire d'un homme qui est mort dans d'atroces souffrances.

Puis je souffle : « Tantouze... » et je reprends.

— Comme je dispose de cinquante et un pour cent de cette compagnie, entre autres, et que je suis beaucoup, beaucoup plus riche et plus puissant que vous, je souhaite qu'on ne discute pas ma décision, et qu'elle soit immédiatement exécutée...

— Monsieur Delano, George Bush sur la 2 ! annonce Mira, la standardiste vierge.

Je hurle :

— Lequel ?

— Celui qui est président des Etats-Unis. En ce moment.

— Plus tard, aboyé-je.

Et bien entendu, ce n'est pas George au bout du fil ; j'ai organisé cette petite supercherie avec le concours de mon ami Mirko, et son accent de fermier texan, pour impressionner mes actionnaires, parce que j'en ai assez qu'ils me prennent pour un loser. En tout cas, ça fait son petit effet. Quinze paires d'yeux sont fixées sur moi – un rapide calcul : en tout trente yeux fixés sur moi, et je dois reconnaître que c'est tout de même une sacrée responsabilité, avec une marge d'erreur à neuf zéros.

— Nous nous devons...

Silence des silences. Déglutitions. Gouttes de sueur sur fronts dégarnis. Un vieux beau en costume Hedi Slimane pour son propre compte porte à son nez un soi-disant flacon de Ventoline, mais c'est sans doute du tranquillisant pour animaux.

Le déclic d'un appareil photo se fait entendre et tout en achevant, je tente d'en identifier la provenance.

— ... de faire...

Je martèle mes mots.

— ... ce que mon père aurait fait s'il était encore de ce monde.

Froncement de sourcils général.

— Et je ne tolérerai aucune objection.

Etats de choc. Je prends congé.

— Messieurs...

Et je me lève.

— Mais Derek...

Oscar m'est tout à fait sympathique, mais qu'il ne s'avise pas d'en abuser pour me casser les couilles, parce que ça pourrait bien se retourner contre lui. Je peux parfois apprécier les gens, mais que les limites soient respectées.

— Oscar, tu sais, entre nous, ça n'ira jamais plus loin qu'une tiède affection.

— Comment Derek ? Je veux dire... Qu'est-ce que tu décides, alors, Total Fina Elf, ou Texaco ? – Il en est malheureusement ainsi de la majorité des rapports humains, Oscar ; tiédeur, tiédeur, tiédeur, tout plutôt qu'un investissement affectif risqué... comment ? Ah, euh, Total ou Texaco ? Mais à ton avis, Oscar ?

— Euh Texaco ?

— Eh bien voilà ! La langue des grands décisionnaires est parfois énigmatique, ton boulot, c'est de la décrypter pour la rendre accessible au vulgaire.

Et je m'en vais, et tout le monde peut constater que je porte un jean troué et que, noir sur blanc sur mon t-shirt conçu spécialement pour l'occasion, Stephano Gabbana a brodé de ses petites mains artistement manucurées « ET EN PLUS JE VOUS EMMERDE ». Je sais, c'est puéril, mais je suis bête et méchant, qu'y puis-je ?

Après un déjeuner chez Ducasse, au Plaza, constitué essentiellement de mousse d'araignée de mer, de foie gras aux truffes blanches, et de purée au caviar, inondé de Cristal rosé, pas de café, pas de dessert, un peu de discipline pour une meilleure santé, avec Leonardo qui pète les plombs car il doit assurer trois promos en même temps alors qu'il a juste envie de rester des heures dans sa suite avec ses potes à sauter sur le lit et à regarder des matches de basket sur le câble américain, je suis enfin libéré de mes lourdes responsabilités de producteur de blockbusters et de Maître du Monde, et je peux me consacrer à ma nouvelle marotte : l'opération destruction d'un être innocent.

C'est à deux heures et demie précises que j'ai vivement recommandé à Georges II de se trouver exactement au croisement Montaigne-François-Ier, avec le sujet.

Là, je l'attends, incognito dans une classe S vitres teintées, que je conduis moi-même. Le sujet porte sa robe d'hier soir, et dire que les passants se retournent sur elle relève de l'euphémisme, il faut dire que la robe est sévèrement décolletée, et que Manon – puisque Manon il y a – a une façon d'arpenter le trottoir qui n'appartient qu'à elle. Elle entre chez Chanel, et je me faufile à sa suite, je suis méconnaissable sous un imper Burberry's très vieux style et un masque Yves Saint Laurent, qui comme son nom l'indique couvre une bonne partie de mon visage. Les vendeuses prévenues le matin même par Mirko, en exil à Milan mais toujours efficace, s'empressent autour d'elle ; il faut dire que notre description, pour brève, n'en était pas moins précise : jeune, vulgaire, et en rouge, et que nous avions pris soin d'ajouter que nous avions planqué dans la donzelle non moins de vingt mille euros en grosses coupures. C'est donc dans les meilleures conditions possibles que Manon franchit la première étape du jeu : « relooking », et je peux constater derrière mon journal russe que l'habit fait le moine : Manon, virevoltant dans diverses robes de putes, sous les acclamations vénales des vendeuses snobs, ressemble tout à fait à une héritière, ou peut-être à une jeune starlette italienne. Manon rougit, Manon dit :

— Ma mère me parlait tout le temps de Chanel.

— Oh, il faut qu'elle vienne nous voir.

— Elle est… morte.

— Ce n'est pas grave, nous lui ferons trente pour cent.

Pour un peu, j'irais coller une baffe à cette vendeuse, mais je m'attendris au spectacle de Manon, dont a priori le bonheur ne tient qu'à quelques robes voyantes. Je finis mon thermos de café qu'un perchiste me prend des mains, m'informant qu'il va le jeter à la poubelle et me suppliant d'enlever mes lunettes de soleil, et je me demande d'abord ce qu'un perchiste fait là, ensuite, pourquoi il m'appelle Monsieur Delano, et tertio, je n'enlèverai mes lunettes que quand je l'aurai décidé. Ensuite, comme je trouve ça particulièrement louche, je me lève d'un bond, et je commence à poursuivre cet insolent perchiste.

Dehors, le soleil tape comme si nous n'étions pas en plein mois de février, et je perds de vue l'animal. Puis je ne reconnais pas l'avenue Montaigne, le décor familier ne m'est plus si familier, il n'y pas une âme, pas une voiture, et sur la terrasse de l'Avenue, les clients, dont la ressemblance avec des clients de l'Avenue n'est qu'approximative, se taisent, et je remarque non sans angoisse que toutes les assiettes semblent contenir la même chose. Je suis seul devant chez Chanel, désemparé, en imper, et quelque chose appelle au secours au fond de moi mais personne ne répond.

— Quatorze heures trente, dans une avenue huppée du VIIIe arrondissement de Paris, Derek Delano et sa petite amie se livrent à une séance de shopping effréné : coût de l'après-midi : plusieurs milliers d'euros.

— Et, ma poule, à peine vingt mille ! Qui parle ?

— Mais ce n'est qu'une goutte d'eau dans la mer en proportion de l'immense fortune que Derek a héritée de son père, Javier Delano. Cet Argentin de bonne famille, ancien champion de polo, s'est enrichi tout d'abord en armant les rebelles d'Amérique du Sud, d'Afrique et d'Europe de l'Est, puis le rachat frauduleux de nombreux puits de pétrole au Venezuela dans les années 70 propulsa ce jeune aventurier au rang des hommes les plus riches du monde... mais l'histoire ne s'arrête pas là...

La Voix provient d'une camionnette blanche et au moment où j'arrive à sa hauteur, la Voix se tait, les portes claquent et le camion a déjà démarré et comme je n'aime pas ça du tout, je saute dans la classe S et je me lance à sa poursuite en me maudissant de ne pas avoir pris la Ferrari. Je suis à cent vingt à contresens, la camionnette me distance d'à peine trente mètres et là, je me rends compte que la rue est barrée juste avant le Rond-Point, je pense « ça y est, je les tiens » mais ils passent comme par magie et disparaissent dans un chaos de klaxons, d'insultes et de bagnoles imbriquées les unes dans les autres. Je tente de les suivre quand un flic me coupe la route :

— Monsieur. Vous ne pouvez pas passer.

— Comment ? Pourquoi ? Qu'est-ce que c'est que ce bordel ?

— Vous ne pouvez pas passer. Faites demi-tour.
— Faites demi-tour.
— Faites demi-tour, monsieur.
Je renonce.

Manon m'attendait à l'hôtel, assise sur l'accoudoir d'un canapé, comme en visite. Les paquets étaient posés exactement au milieu du salon. Elle portait toujours cette robe rouge, et m'a semblé étrangement familière, comme si elle sortait d'un vieux cauchemar. Les jambes croisées, une main posée sur sa cuisse, l'autre bras tendu, l'épaule saillante dans laquelle elle enfouissait son visage, elle fixait le parquet, l'air au supplice.

MOI : Ça va ?
ELLE : Oui.
MOI : On ne dirait pas.
ELLE : En fait...
MOI : Oui ?
ELLE : Non, ça ne va pas.
MOI : Ah.
ELLE : Pardon ?
MOI : Nous y voilà.
ELLE : Qu'est-ce que tu veux Derek ?
— Qu'est-ce que tu veux... dire ?
— Je veux dire... Qu'est-ce qu'il y a entre nous ?
— Disons deux mètres et euh... ta robe.
— Ce n'est pas ça que je veux dire.
— Faut t'exprimer, ma poule.

— Je-ne-suis-pas-une-poule, justement.

— Ah ?

— Ce matin, je me suis réveillée, tu étais parti, une femme de chambre est entrée, avec un plateau, avec des croissants, et du jus d'orange, et même des œufs au bacon, elle m'a dit de me dépêcher de manger...

— Oh, s'il te plaît ma poule, ne dis pas « manger ».

— Peu importe, de toute façon, je n'ai pas pu avaler quoi que ce soit.

— Parce que tu n'aimes pas les œufs au bacon ?

— Ensuite, je devais prendre une douche et m'habiller, parce qu'à deux heures, ton... chauffeur m'attendait en bas pour m'emmener faire les boutiques, et j'y suis allée, comme une idiote...

— Tu n'es pas idiote, ma poule.

— Non je ne suis pas idiote et pourtant je n'y comprends rien. Ton chauffeur...

— Georges. C'est Georges. Un peu de respect.

— Il ne m'a même pas laissée aller travailler...

— Travailler. Quel vilain mot, ma poule.

— Quoi, un vilain mot ? Mais enfin Derek, je dois travailler pour vivre...

— Vivre aussi, c'est un vilain mot.

Elle soupire.

— Il y en a de jolis ? demande-t-elle avec une sorte d'exaspération résignée qui n'est pas sans me rappeler Julie.

— Manon. Il y a Manon.

— Je suis complètement perdue, Derek.

— Tu n'as plus besoin de travailler, ma poule. Maintenant tu es avec moi.

— Qu'est-ce que tu veux Derek ?

— Je suis amoureux de toi, ma poule. Je n'y peux rien, hier soir, tu es entrée dans mon champ de vision au moment où ils diffusaient *Carmina Burana*.

Elle est sceptique et je me rends compte que je dois me montrer un peu plus convaincant.

— La nuit, je commence, sans trop savoir moi-même où je veux en venir, je ne dors pas. Tu ne sais pas ce que c'est : la solitude, le silence, la chaleur moite des oreillers cent fois retournés, guetter un bruit de pas dans la rue, un bruit de moteur, un éclat de voix, l'éclair d'un phare, les tortures du passé, la peur de l'avenir, qu'il soit comme le passé, et puis l'aube blanchâtre à travers les rideaux, et ces putains d'oiseaux, qui chantent quand même, pouvoir enfin fermer les yeux et oublier... qu'il y a quelque chose qui me manque. Les aéroports à l'aube, lunettes noires et café dégueulasse, arrivées, départs, départs, arrivées, pour oublier que je vais nulle part, l'ordre insoutenable des chambres d'hôtel, avec les messages de bienvenue sur la télé, les chocolats et les petites bouteilles de shampoing et de conditioner, les couvercles en papier sur les verres de jus d'orange, tout ce passage dans les bars, ces gens qui passent et moi, je reste. Alors partir aussi, les routes, compter les pylônes, les bornes et les lignes blanches, changer de disque, surf music, Leonard Cohen et Marilyn Manson à L.A., à Ibiza compils locales sur la Côte Mancini, Sinatra, Legrand, et à Paris rien que Chopin, mais c'est toujours la même chanson, et il y a quelque chose qui me manque. Les sourires standard des bébés mannequins, les mêmes conneries dans des accents différents, l'année dernière, il fallait avoir la lèvre supérieure légèrement retroussée sur les deux dents de devant, comme Estella Warren, et je n'embrassais que des filles qui portaient des appareils, Nobu a inventé les sushis de tempura, mais ce ne sont jamais que des tempuras dans des sushis, et il a fallu ouvrir Nobu Next Door, parce que tout New York en voulait, et que tout New York ne tient pas dans un seul Nobu, j'ai essayé de me mettre au piano, puis j'ai renoncé, c'était trop tard, je ne sais pas exactement quand je suis passé du trop tôt au trop tard, avant c'était trop tôt pour aller au casino, et maintenant c'est trop tard pour apprendre le piano, entre-temps qu'est-ce qui s'est passé ? Mon père est mort, j'ai hérité, j'ai eu vingt et un ans, je suis allé au casino et j'ai perdu quelques millions, j'aurais préféré le piano, mais au lieu de ça, j'ai appris à rouler des pétards parfaits, et à me faire mes propres fix, avec Julie. C'était l'époque où tout le monde habitait avenue Foch à Paris et uptown à New York, on pouvait encore fumer dans les longs courriers, Nevermind est sorti, Nirvana était à la mode avant de devenir ringard, et ensuite culte, on voulait tous mourir trop tôt, pour devenir une légende, je disais que je détestais mon père, Julie était coiffée comme Uma Thurman dans *Pulp Fiction*, les sushis et les téléphones portables étaient réservés à l'élite, dont nous étions fiers de faire partie, sur les photos, à cette époque, il y avait de la lumière dans mes yeux, j'avais déjà du mal à dormir, mais j'allais en boîte, et je prenais des acides et du Stilnox, et je voyais douze Julie dans mon lit, au lieu d'une seule, et le présentateur de The Twilight Zone sortait de la télé, et j'étais peut-être heureux. En fait, j'avais vingt ans. Et puis Julie est entrée dans la légende. Cette année-là, le noir était à la mode, et il y avait un monde fou à son enterrement et ça n'a fait que s'échanger les numéros pendant que j'attendais un miracle, mais il n'y a pas eu de miracle.

« Depuis, partout, où je vais, je ne regarde que les vieux, et dans leurs yeux, il n'y a pas de lumière non plus ; c'est qu'ils savent. Et moi, j'ai vingt-neuf ans, et c'est comme si j'étais vieux.

Manon vient à moi, et me prend dans ses bras.

— Qu'est-ce qui te manque, Derek ?

Et dans sa voix, il n'y a plus trace de défensive, il n'y a que de la pitié, et peut-être autre chose. Alors je la regarde, et elle me regarde aussi, droit dans les yeux, et j'attends qu'elle y ait trouvé la réponse qu'elle cherchait pour l'embrasser.

VII

GRANDEUR

MANON — Vous savez qui je suis ? Vous savez qui je suis, putain ? Non ? Espèce de minable, dis-moi, tu sers à quoi si tu sais pas qui je suis ? A quoi ça sert un physio, hein ? Phy-sio ! Qu'est-ce que ça veut dire, à ton avis ? C'est du grec, connard, et littéralement ça veut dire un mec qui sait qui je suis ! Parce que je SUIS ! Je suis, putain ! Je suis une star. Et tout le monde me regarde quand je marche dans la rue. Et toi tu me demandes si j'ai une invitation, une invitation, nom de Dieu. Mais tu sais combien j'en reçois des invitations, tu crois peut-être que je les ouvre, tu crois peut-être que j'ai que ça à foutre ? Tu crois que j'ai besoin d'une invitation pour aller quelque part ? Elle est sur ma gueule, mon invitation ! T'allumes ta télé ? Tu lis les journaux ? Est-ce que tu sais lire ? Tu vas au cinéma de temps en temps ? Tu sors de chez toi ? Parce que c'est pas possible, tu m'entends, CE N'EST PAS POSSIBLE DE

VIVRE EN FRANCE AU VINGT ET UNIÈME SIÈCLE ET DE NE PAS SAVOIR QUI JE SUIS !

— Virez-moi cette dingue.

Je pourrais le tuer, sortir le flingue que Derek m'a donné au cas où j'aurais un problème, lui enfoncer dans le gosier et lui faire exploser la cervelle, tellement je suis hors de moi. Putain de Festival de Cannes. Au cas où j'aurais un problème ? J'ai un putain de problème. Je commence à fouiller dans mon sac, pendant que les videurs hésitent, ils ont dû me reconnaître, eux, mais ils n'osent pas contredire cette espèce de connard de physionomiste ignare. Je sens le canon glacé entre deux liasses de billets – Derek n'aura qu'à étouffer l'affaire, de toute façon, c'est *son* flingue –, je le coince entre deux doigts et l'attire doucement vers la lumière...

— Manon !

Derek. Avec les larbins, Georges II, le directeur, et son larbin personnel. Ils accourent vers moi. Ils font bien. Je lâche l'objet. Personne n'a rien vu. La foule recule pendant que Derek détache le cordon et me prend par la main pour m'emmener de l'autre côté. Il foudroie du regard cette crapule de physionomiste.

— Enfin, vous ne l'avez pas re-con-nue ?

La crapule bafouille.

Derek hausse les épaules. Il m'entraîne et j'éructe :

— La prochaine fois je vous tue.

Je suis sérieuse. Un ange passe, j'ai les yeux fixes

plongés droit devant, vers l'inconnu, ralenti cent images secondes pour rejeter mes cheveux en arrière, puis démarre à grands coups de talons. Je sens toutes ces paires d'yeux tétanisés par le scandale, qui me transpercent le dos. Justement, entre mes omoplates, mon débardeur est imprimé « Fuck you ». Murmures. La routine.

Je descends dans la boîte et je suis hors de moi. Dans l'escalier, Derek me saoule de questions : « Chérie, qu'est-ce que tu fais là ? Chérie ? Chérie, tu dormais, t'avais pris ton Stilnox, qu'est-ce que tu fais ici ? Hein ? Tu devais pas venir. Rentre à l'hôtel. »

J'arrache ma main de la sienne, et l'envoie se faire foutre, non mais quel culot, venir ici, ce soir, sans même me prévenir, à cette soirée où il y a tout Cannes, et moi, alors ? Est-ce qu'il pense à moi, de temps en temps, à moi, à mon image ? Qu'est-ce que j'en ai à foutre, moi, hein, d'une soirée de plus, avec tous ces has been au bout du rouleau qui me lèchent les bottes, alors que je ne peux même pas boire de champagne parce que suis censée peser quarante-cinq kilos dans trois semaines, tout ça pour une malheureuse campagne de cosmétiques japonais. Mais si je n'étais pas venue, hein ? Si j'avais laissé Derek ici, tout seul ? Pas que je flippe le moins du monde qu'il se lève une minette ; il est fou de moi, le pauvre. Non, je ne veux pas de rumeurs, c'est tout : qu'on raconte partout qu'on s'est engueulés, séparés, où tout simplement qu'il me laisse à l'Eden Roc pour aller courir les filles, et passer pour une conne : non merci ! Aucune envie de tomber sur un entrefilet fielleux dans un magazine bidon la semaine prochaine, sous-entendant que j'ai fait une tentative de suicide, ou que je suis en taule ou en désintoxe voire enceinte mais que le milliardaire Derek Delano, malgré la mauvaise posture de sa compagne, le top model Manon D, ne s'est pas désisté pour autant de son rôle mondain, et est apparu souriant, bien qu'en célibataire à la soirée de lancement de...

— Qu'est-ce qu'on lance, ce soir ?

— Le dernier Samsung. J'ai racheté Samsung.

... du dernier Samsung où il a été aperçu, devisant agréablement avec Kate Moss, ou je ne sais quelle princesse italienne ou machin, là, qui fait la pub Guess.

— Il prend des photos, bien sûr, il filme, et il grave les DVD.

— Oh, tais-toi, Derek.

J'arrache la fiole de coke des mains de cet imbécile de Mirko, et je renifle au moins à trois reprises parce que je vois se dessiner à l'horizon le bataillon grouillant de ces *casse-couilles* de photographes, et je sais que dans moins de dix secondes, il va falloir sourire, et rien qu'à cette idée, je renifle encore et encore jusqu'à vider ce qui reste.

— Rends-moi ma coke ! gémit Mirko.

— Oh va donc te branler devant tes cassettes d'ultimate fighting et fous-moi la paix !

— Chérie, enfin, tu ne devrais pas prendre de cocaïne, tu es déjà complètement sous anxiolytiques, me dit Derek, protecteur et angoissant.

— Et sous euphorisants aussi, et figure-toi que je ne me sens pas le moins du monde euphorique à l'idée de me faire mitrailler par cette bande d'abrutis alors que je suis blanche comme un cadavre et que je n'ai même pas eu le temps d'aller chez le coiffeur !

— As-tu la moindre idée du sens du mot « sacerdoce » ?

— Ma coke, nom de Dieu, Manon !

— Tiens, dis-je joyeusement, et lui lançant le flacon dans la gueule, de toute façon il n'y a plus rien !

— Pfut ! Elle était dégueulasse, tu vas serrer les crocs comme un chien enragé et en ce qui me concerne, je suis à la kétamine ce soir.

Les photographes s'agglutinent devant nous.

— S'il vous plaît, Derek !

— Derek, par ici s'il vous plaît !

— Derek, s'il vous plaît !

— C'est quoi la kétamine ? demandé-je à Mirko, hors champ mais néanmoins à portée de voix.

— Du tranquillisant pour chevaux.

— Quoi ?

— Derek, s'il vous plaît ?

— Du tranquillisant pour chevaux ?

— Ouais.
— S'il vous plaît Derek !
— J'en veux. Donne-m'en immédiatement.
— Non.
— Mirko, tu oublies à qui tu parles.

J'ai les dents serrées car je ne dois surtout pas arrêter de sourire, et c'est à ce moment que je m'aperçois que je ne connais aucun des photographes présents, et qu'a priori, ceci expliquant cela, aucun des photographes présents ne me connaît, puisque depuis une minute que ça crépite, personne ne m'appelle, personne ne m'emmerde avec des « s'il vous plaît, Manon, par ici, gnagnagna », je commence à détester ce festival, et quand on nous lâche parce que cette pimbêche de dernière Miss France se pointe avec sa couronne ridicule et Madame de Fontenay, je pince le bras de Derek et lui demande ce qui se passe.

— Mais chérie, je sais à quel point tu détestes être en représentation, alors j'ai demandé à tout le monde de te foutre la paix.

— Dis plutôt que t'en as marre que je te fasse de l'ombre, espèce d'égoïste.

— Manon, ta paranoïa devient lassante. Arrête de te prendre pour Johnny Hallyday.

— Et toi arrête de *bégayer*.

Nous descendons l'escalier et la foule est aussi dense en terrain neutre qu'au bar et au buffet, ce qui signifie qu'il n'y a pas que des nazes ce soir et aussi que la distribution de portables n'a pas encore eu lieu. C'est hallucinant la vitesse à laquelle un endroit se vide quand les cadeaux ont été distribués : 23 h 48, six cent quatre-vingt-sept personnes, 23 h 49, distribution de téléphones, de montres, de scooters, de félins apprivoisés, de n'importe quoi, 23 h 51, plus que quarante-deux personnes, minuit, fin de l'open bar, 00 h 02, désertion totale de l'endroit, 00 h 10, arrivée des plus nazes d'entre les nazes, les raclures qui n'ont pas été invitées au dîner et qui se pressent à la soirée dès que ce n'est plus privé. Fuir à tout prix.

D'une manière générale, fuir tout ce qui n'est pas privé.

Pendant que Derek refuse d'être interviewé pour je ne sais quelle chaîne du câble, je compte les gens connus et je constate avec soulagement qu'il y a très peu de Français – les Français sont d'un cheap –, à part cette pimbêche de Miss France et sa mère maquerelle enchapeautée, et quelques lofteurs abandonnés de tous, hébétés dans un coin, et pour relever le niveau, Joey Starr sans Béatrice Dalle, ou bien est-ce Béatrice Dalle sans Joey Starr, je n'y vois pas à trois mètres car je n'ai pas mes lunettes. Derek me couve des yeux d'une façon tellement insistante que ça m'agace horriblement, et je lui fais comprendre par signe qu'il a vraiment intérêt à me lâcher sinon je me barre avec Colin Farrell, comme tout le monde. A ce moment-là, Werner Schreyer passe à vingt centimètres de moi et ne me dit pas bonjour alors qu'il m'a *très bien vue*, je lui attrape le bras et le pince de toutes mes forces, il se retourne, courroucé et me traite de folle et en anglais en plus. Alors je lui demande, en français –, car nous avons toujours parlé français ensemble et je ne vois pas pourquoi ça changerait –, s'il se fout de ma gueule. Il me dévisage et part sans dire un mot. Je fonce alors comme une furie sur Derek qui est en train de refuser une interview pour Canal+ et je hurle :

— Werner Schreyer ne m'a pas dit bonjour !

— Vous vous connaissez ?

Toujours à l'ouest, ce pauvre Derek.

— Oui Derek, on se connaît, on a shooté deux campagnes ensemble et tu étais *là* !

— Ah euh oui...

Il bégaie encore, il m'insupporte.

— Derek, dis-je, ce n'est *pas* Werner Schreyer. C'est un imposteur. C'est un maniaque dangereux.

— Mais si, reprend-il lentement, simplement... tu ne savais pas qu'il était euh atteint de la maladie d'Alzheimer ?

— Pardon ?

— Oui, c'est un cas d'école, un cas euh unique, très précoce, le pauvre, à vingt-neuf ans, tu te rends compte ?

Pour la première fois depuis des semaines, je ressens quelque chose, et je crois que c'est de la compassion, ravie d'éprouver un sentiment, je me tourne vers celui qui en est l'objet mais déchante quand je l'aperçois « devisant agréablement » avec Dannii Minogue.

— En tout cas son Alzheimer n'a pas l'air d'englober l'autre pouffe.

— Il la confond peut-être avec sa sœur ?

— Derek. Tu es con.

— Non, chérie. C'est un cas d'Alzheimer très répandu, un Alzheimer sélectif. Il reconnaît certaines personnes, mais pas d'autres, regarde, chérie, a priori, son Alzheimer n'englobe pas Britney Spears non plus.

— Ouais, grinçai-je en voyant Britney Spears embrasser Werner avec une affection telle qu'elle lui en colle son chewing-gum sur la joue.

C'est évidemment le moment que Dannii Minogue choisit pour venir trémousser son arrière-train liposucé de notre côté, elle dit bonjour à Derek en minaudant et j'ai envie de leur coller une paire de baffes à tous les deux quand Derek la complimente sur sa coupe de cheveux, une espèce de frange horrible qui lui descend jusqu'à la lèvre supérieure.

— Tu sais, lui répond-elle en anglais, et avec l'air de quelqu'un qui s'y connaît, les cheveux d'une femme sont un peu la mémoire de ce tout ce qu'elle a vécu.

Puis elle s'éclipse parler Botox et bistouri avec un vieil Anglais lifté, qui a, je crois quelque chose à voir avec le rock'n roll des années 70.

Puis, il se barre présenter le directeur de Samsung à Mouna Ayoub en me disant qu'après, on va pouvoir y aller, mais je n'ai aucune envie d'y aller, et je renverse mon jus de carottes allégé sur Dannii Minogue en simulant la confusion, j'aperçois Derek glisser quelques mots à Werner Schreyer, qui le dévisage avec stupéfaction et fait non de la tête, a priori, il ne se souvient pas de Derek non plus, alors qu'ils ont plein d'amis communs à New York, pauvre Werner Schreyer, quelle horreur cet Alzheimer, puis je double tout le monde au buffet pour me servir une ou deux brochettes de mérou, je me fais bien entendu agonir d'injures, auxquelles je rétorque que nom de Dieu, un peu de savoir-vivre, c'est tout de même moi qui reçois. Deux idées me viennent après avoir obtenu gain de cause, en mâchonnant cette friandise révolutionnaire : les brochettes de mérou ; la première, c'est que j'en ai marre des soirées où il y a plus de photographes que de gens à photographier, la seconde, c'est que je suis dégoûtée par ces personnes qui bouffent toujours tout au buffet – enfin, ça a beau être dégueulasse, c'est gratuit. Et si c'est gratuit, ça peut bien être dégueulasse.

— Manon ? C'est toi ?

Je me retourne ulcérée sans trop savoir pourquoi et tombe des nues en apercevant ce fantôme de Sissi, Sissi en robe Galliano de l'année dernière, me regardant comme si j'étais, je ne sais pas, une sorte de rencontre du troisième type.

— Qu'est-ce que tu fais là ?

Nous nous posons cette question l'une à l'autre exactement en même temps, et j'ai maintenant une bonne raison d'être ulcérée. Je souris, incrédule :

— Tu plaisantes, j'espère ?

— Non, répond-elle, tu as disparu comme ça, du jour au lendemain, tiens le lendemain de l'avant-première de *Superstars*...

Elle fronce les sourcils.

— ... d'ailleurs, reprend-elle, j'espère que tu as ma robe, je pensais que tu étais morte ou quelque chose de ce genre, et je m'étais dit que je ne la reverrais jamais et que c'était dommage parce que j'aimais bien cette robe, mais puisque tu es là...

— Sissi, l'interromps-je, tu te fous de ma gueule ?

— Pardon, Manon, c'est toi qui te fous de ma gueule, tu disparais comme ça, sans donner de nouvelles avec MA robe, et je te retrouve un an plus tard en train de t'éclater à Cannes avec une coupe de cheveux bizarre et tu le prends de haut ? D'ailleurs, comment tu es entrée ici, c'est hyper-privé ce soir, y a Britney Spears...

— Sissi... c'est hyper-privé ce soir parce que je suis là, et que Derek est là, OK ?

— Ah, d'accord, tu as pété les plombs, tu es devenue cinglée. Derek qui ? Derek Delano, tu vas me faire croire que tu as quelque chose à voir avec Derek Delano, le mec le plus inaccessible de la planète ?

— Tu ne lis plus la presse people ou quoi, ma pauvre Sissi ?

— Si, justement et je peux te dire que cette semaine, il a fait la couv' de *Cannes-Matin* tous les matins, avec des gonzesses qui ne sont pas toi et que...

— Qui êtes-vous, vous ?

Mirko vient de choper Sissi par les deux épaules et entreprend de l'étrangler.

— Y a un problème, Manon ? me demande Mirko.

— Ouais, dis-je, y a un problème, fous-moi cette connasse à la porte et trouve-moi Derek.

— Mais qu'est-ce que c'est que ce bordel, hurle Sissi, laissez-moi tranquille, je connais le mec qui fait la soirée !

— C'est moi qui fais la soirée, répond Mirko, puis il fait un signe en l'air et deux videurs accourent, attrapent Sissi qui se débat comme une possédée et l'emmènent pour la foutre dehors et j'espère qu'ils en profiteront pour coller une bonne raclée à cette petite impertinente.

Je vide deux coupes de champagne et fouille dans mon sac où je retrouve des cachets de je ne sais pas trop quoi que j'avale au hasard simplement pour l'effet placebo et je me calme, je suis obligée de me calmer parce qu'on me regarde et...

— Hi Manon, do you remember me ?

Werner Schreyer. Au stade terminal de l'Alzheimer.

— Of course, I do. How do you do ? Oh, I'm sorry, I know about your… problem and… maybe you don't wanna talk about this ?

— What ?

— Je suis désolée (ceci est une traduction littérale), Derek me l'a dit et… enfin, en tout cas je te soutiens totalement.

— Je ne comprends pas ce que tu veux dire. Quoi l'enfer est cette merde de taureaux ?

Traduction littérale toujours. En fait, il dit tout simplement mais d'une façon très idiomatique : qu'est-ce que c'est que ces conneries ? Et je suis sur le point de lui rappeler qu'il est tout de même atteint d'une putain de maladie grave (a fucking serious disease), et que ce n'est pas la fin du monde si tout le monde est au courant (you don't give a shit if everybody knows) mais je m'arrête à temps en réalisant que son Alzheimer peut fort bien lui avoir fait oublier son Alzheimer, et gênée, je tente d'évaluer les dommages causés à sa mémoire en lui demandant s'il est satisfait des photos que nous avons faites ensemble et il me regarde, complètement ahuri et dit : « What ? », ce qui signifie « Quoi ? » ou « Hein ? », et je suis absolument navrée pour lui, je ne sais que dire, je me contente de le prendre par les épaules en lui tapotant le dos. Heureusement, interrompant cette situation gênante, des danseurs cosaques et des cracheurs de feu investissent la piste et monopolisent l'attention, comme si nous n'étions pas assez serrés, et comme si nous ne nous disputions déjà pas assez l'attention entre nous, Werner en profite pour s'éloigner, et :

— Oh du flamenco, j'adore !

Il s'agit de Victoria Beckham, ex-Adams à propos des Cosaques ; il faut que je tape un peu de coke. Je cherche Derek à qui j'ai quelques petites questions à poser, mais il est en train de refuser une interview de Frédéric Taddéi pour Paris Dernière. Alors je descends un escalier peut-être parce que je tente de me rapprocher de la source de *Dont'cry* des Guns n'Roses qui semble provenir d'en bas, peut-être simplement pour me cacher et pleurer sans que personne me voie puisque ce genre de soirée me porte sur les nerfs et vire toujours à la psychose finalement pour peu que j'aie oublié de prendre mon lithium ou un quelconque succédané, et quand j'arrive aux chiottes, elles sont toutes prises, et de la porte la plus proche, j'entends quelqu'un hurler : « We're having a great time all together, and I'll remember it until the day I die. » Puis j'entends plusieurs inhalations successives et je me demande combien ils sont, là-dedans. La porte s'ouvre et ce brun pas mal, Benoît, en jaillit en reniflant, puis cette connasse insupportable de Virginie, puis cette connasse insupportable de Lolita, bien sûr, et puis Quentin Tarantino : « You can't write poetry on a computer, baby », et je trouve ça très beau, et tout le monde renifle en passant devant moi comme si je n'existais pas, avant de disparaître dans l'escalier. Alors je fais ce que j'ai à faire et je remonte à mon tour et c'est comme si rien ne s'était passé.

Tout le monde déballe son portable, Joey Starr – où est-ce Béatrice Dalle ? – tape sur Britney Spears qui s'agrippe désespérément au diadème Harry Winston de Mouna Ayoub, en fait, elle a très envie des diamants de Mouna Ayoub, ce qui indigne le PDG coréen de Samsung qui lui-même a très envie de Mouna Ayoub, Colin Farrell se barre avec machin, là, qui fait la pub Guess, Victoria Beckham valse au bras d'un Cosaque, mais s'imagine peut-être qu'elle danse la gigue avec un Ecossais snob, Audioslave improvise un concert privé, un lofteur se suicide dans un coin, et tout le monde s'en fout, Derek refuse une interview à un type qui lui demandait juste une cigarette, Werner Schreyer envoie des textos à Nicole Kidman, Miss France fait bouffer son chapeau à Madame de Fontenay, puis arrache son écharpe débile la déchire avec les dents et lui fait bouffer aussi, de même que sa robe tarte, qu'elle a enlevée dévoilant une combinaison de vinyle rouge à l'effigie du lapin *Play-Boy*, les gardes du corps des uns et des autres interviennent, et cette soirée n'est plus qu'une immense mêlée. Derek me prend par la main et nous nous échappons, croisant au passage, sur les escaliers, Sissi en plein boulot avec le vieux rocker qui me dit vraiment quelque chose alors j'interroge Derek :

— Qui est c'type avec l'aut pouffe ?

— David Bowie.

David Bowie… David Bowie… ?

— Connais pas. C'est qui ?

— Oh… personne… Un chanteur…

VIII

NEW YORK

DEREK — Nous étions partis pour New York, cette fois-ci pas pour dévaliser le Bergdorf et les galeries du Village, même pas pour aller chiner des vinyles introuvables au fin fond d'Alphabet City ou encore des DVD pirates de vieilles séries B géniales jamais éditées, pas non plus pour bosser, je ne bossais plus, je ne foutais rien, j'étais passé maître dans l'art de déléguer et mes affaires se passaient fort bien de moi, même pas pour aller à l'avant-première de *X-Men 2* ou simplement pour passer un peu de temps dans une ville civilisée où la clim était partout, où les restaurants livraient en un quart d'heure, où les jeunes allaient à l'école, où n'importe qui avait un portier. Nous étions partis pour New York parce que les soupçons de Manon empiraient, et ma parano à moi avait atteint son point culminant, j'avais l'impression permanente d'être suivi, espionné, manipulé, j'allais péter les plombs,

Manon allait péter les plombs, nous étions partis comme ça sur un coup de tête, comme en fuite.

Dans l'avion, Manon, cette star internationale revenue de tout n'avait pas daigné boire une goutte de champagne, elle feuilletait *Gala* en se plaignant d'avoir déjà vu *Minority Report* qu'elle n'avait aucune envie de revoir et sans sous-titres en plus, elle n'arrivait pas à dormir, elle n'avait pas non plus envie de lire : « Lire, me dit-elle d'un ton péremptoire, est encore plus ennuyeux que l'ennui lui-même. »

— Hum, ai-je répondu, me replongeant dans la *Critique de la raison pure*, tu as tort, lire est intéressant et enrichissant.

— Ça parle de quoi ton livre ? me demanda-t-elle.

— Hum, ai-je répondu. Prends une mélato.

— La mélatonine est une substance toxique.

— Moins toxique que tes coupe-faim aux amphétamines.

— La mélatonine ne me fait plus aucun effet.

— C'est, dis-je, d'un ton docte, que tu es mithridatisée.

— Pardon ?

— Mithridate était un Grec un peu parano...

— Je crois que je vais aller me taper un steward dans les chiottes, ça m'occupera.

— Hum, dis-je, inconfortable, mais distrayant.

— Regarde cette croûte, me dit-elle en me désignant la croûte en face de nous, elle n'est pas affreuse. Elle n'est pas belle non plus. Elle n'est rien du tout. Elle n'est pas censée attirer le regard, ni nous dégoûter de dormir dans cet avion. Elle est simplement destinée à passer inaperçue, accrochée là, sur ce mur, à ne transporter personne.

— Je rêve ou tu viens d'émettre une pensée originale.

— Je voudrais savoir qui a peint cette croûte. Je voudrais savoir s'il l'a peinte en sachant très bien qu'elle aurait un destin de… sèche-cheveux d'hôtel.

— Pourquoi, dis-je, tu veux lui commander un tableau pour ta chambre ?

— J'aimerais simplement savoir quel genre de mec peint des croûtes pour faire joli dans les première classe des long-courriers.

— Cesse de répéter ce vilain mot de croûte, s'il te plaît.

— Mademoiselle s'il vous plaît, je voudrais savoir d'où vient cette croûte ?

L'hôtesse, une brunette plutôt bien balancée, contracte les épaules et ne se retourne pas.

— Mademoiselle s'il vous plaît !

L'hôtesse se retourne précipitamment en disant : « Je n'en sais rien, madame » et tente de tracer dans la cabine mais j'ai eu le temps de reconnaître cette petite fouine de brune à lunettes, alors je lui attrape le bras et lui demande à voix basse pour ne pas ameuter tout l'avion :

— Dites-moi, qu'est-ce que vous me voulez exactement ?

— Rien monsieur, lâchez-moi où j'appelle la sécurité.

— Vous allez voir ce que j'en fais moi, de la sécurité, gueule Mirko de la rangée de derrière.

— Tiens, dis-je, c'est fini *Minority Report* ? Alors, t'en penses quoi ?

— Ecoute, j'ai bien aimé... Il est vraiment bon, ce Spielberg.

— Tu sais qu'il était très copain avec papa ?

— Ah oui ?

— Bon, vous me lâchez ou quoi ?

— Pas avant que tu m'aies expliqué pourquoi tu me suis.

— Je ne vous suis pas, monsieur.

— Alors qu'est-ce que tu fais là ?

— Je suis hôtesse de l'air, au cas où vous ne l'auriez pas remarqué.

— Ça va, répond Mirko, moi aussi je peux me foutre un uniforme et agiter les bras devant un gilet de sauvetage avec l'air niais et tout le monde me prendra pour une hôtesse de l'air.

— Dans ce cas, dis-je, ignorant l'allégation réfutable de mon garde du corps et ami Mirko, qu'est-ce que tu foutais à te coker la gueule avec tes copines les mannequins décérébrées à *mon* dîner au Market il y a exactement un an et demi ?

— Ma sœur est mannequin. Et elle n'est pas

décérébrée : elle prépare une maîtrise de sciences humaines. Et elle est sortie avec vous.

— Ah ? Comment s'appelle-t-elle ?

— Melinda.

— Melinda. . Melinda… Connais pas.

— Qui est cette Melinda, Derek ? demande Manon, jetant son *Gala* par terre avec un profond soupir.

— Et, reprends-je, admettons la sœur mannequin que j'ai sautée, ça ne m'explique pas ce que tu fabriquais trois mois plus tard au Ritz à quatre heures du mat' dans une suite qui se trouvait comme par hasard en face de la mienne ?

— J'étais avec ma sœur. On… on venait d'une fête chez des Saoudiens, au troisième étage.

— Ah oui, dis-je en la lâchant, et y avait du monde ?

— Pas beaucoup, dit-elle les yeux baissés, Natasha Kadysheva. Robert Downey Jr euh qui n'assumait pas d'être complètement défoncé. On s'est barrées.

— Ah, il est beau le personnel d'United, dit Mirko.

— OK, conclus-je, pour cette fois, je veux bien croire que tout ceci n'est que… coïncidence, je me racle la gorge, mais, reprends-je, si je te retrouve encore une fois dans mes pattes… c'est mon ami de derrière qui posera les questions.

— D'accord, d'accord, répond-elle, maintenant

essayez de vous tenir tranquille, nous amorçons notre descente vers New York.

— Oui, oui, dit Manon, prière de regagner votre siège et d'attacher votre ceinture jusqu'à l'extinction de la consigne lumineuse, on connaît, merci.

Nous nous sommes tenus tranquilles jusqu'à l'atterrissage, et avant de descendre, Manon a ramassé son *Gala* qu'elle m'a montré en me disant :

— Regarde, c'est marrant.

En couverture, il y avait Natasha avec son dernier vieux, et sous la légende : *Natasha Kadysheva, pute un jour, pute toujours,* il y avait écrit en énormes lettres blanches : *Robert Downey Jr : Non, je ne suis pas drogué.*

Cette salope n'était plus dans l'avion, j'ai couru comme un fou dans le tunnel, et j'ai juste eu le temps de la voir disparaître dans l'immensité de JFK avant qu'on me bloque à l'immigration.

Nous descendons Park Avenue dans la Lincoln, et je détourne les yeux quand nous passons devant l'hôtel particulier des parents de Julie et Manon me dit :

— Julie, hein ?

Et je lui demande de me foutre la paix, et elle soupire et serre juste un peu plus ses fourrures contre elle et appuie sa tête contre la vitre en fixant les traînées de pluie sur le verre sombre avec un air à la fois hautain et lointain.

— Inutile de prendre cet air hautain et lointain, dis-je, tu n'es pas en train de poser pour *Vogue* sur le thème « je suis glamour et désespérée sur Park ».

— Je ne suis pas désespérée, répond-elle.

— Non ? répliqué-je d'un air narquois.

— C'est toi qui es désespéré.

Elle a raison, et à cet instant nous arrivons devant le Pierre et pour une fois, elle ne se plaint pas de ne pas être au Mercer, elle n'attend pas que quelqu'un vienne lui ouvrir la portière, elle l'ouvre elle-même et quand elle sort de la voiture, dans un jet de fumée blanche, elle se dépêche simplement de gagner l'hôtel au lieu de se pavaner devant les passants, interpellant le garçon au passage : « Attention à la petite Vuitton, c'est mes produits de beauté », puis elle tipe avec négligence et le portier s'écarte respectueusement pour la laisser passer et je me dis que j'ai fait du bon boulot. Après avoir prévenu le concierge de ne me passer aucun appel et surtout pas ceux de Paris Hilton : « Si Paris me demande, dites-lui que je suis décédé dans un accident d'hélico », je suis Manon jusqu'à la chambre à quelques pas derrière elle, en fixant ses talons aiguilles qu'elle traîne silencieusement sur le tapis, et je ramasse devant la porte sa fourrure qu'elle a laissée glisser de ses épaules.

— Hum, dis-je en refermant la porte, zibeline ?

— Oui.

— Fendi ?

— Revillon.

— Tu as faim ?

— J'ai sommeil.

— Tu veux dormir ? Il est à peine huit heures.

— Derek ?

— Oui.

— Ça ne te fait rien de dormir dans l'autre chambre, cette nuit ?

Je garde le silence quelques minutes, sans doute parce que je suis surpris, certainement pas parce que je suis déçu, ou blessé, ou parce que le décor familier de ma chambre à New York dans laquelle j'ai étudié, baisé, pleuré, que j'ai habitée plus que n'importe quelle autre, que j'ai habitée avec Julie, vient de se transformer en terre étrangère et hostile, ou parce que je n'entends subitement plus rien, ni les sirènes des flics dans le lointain filant au Nord, ni les pas pressés de ceux qui sortent, ou qui rentrent, ou qui rient, ni le trot des chevaux fatigués de traîner des touristes amoureux, ni les moteurs qui se remettent en marche avec lassitude quand le feu passe au vert, ou parce que le Plaza vient de s'éteindre, le Park de disparaître, et moi de me noyer au moment où je m'y attendais le moins, dans ma chambre à New York, parce que Manon, que je n'aime pas, que je n'ai jamais aimée, vient de me demander si ça ne me fait rien de dormir dans l'autre chambre cette nuit, Derek.

— Non, je réponds, non, que veux-tu que ça me fasse ?

Elle incline simplement la tête et me prend sa fourrure des mains, elle se rend à la penderie dont elle ouvre les deux portes avec peine, comme si les portes de la penderie étaient trop lourdes pour elle et y range l'étole avec soin. Puis elle passe dans la salle de bain en trébuchant sur ses bottes noires qu'elle a abandonnées là, et fait glisser lentement sa robe, et son soutien-gorge à terre, et pénètre dans la salle de bain en laissant la porte ouverte pour que je puisse la voir se regarder longuement dans le miroir avec toujours cet air hautain et lointain, ignorant mon reflet, puis dégrafer ses bas, assise sur le coin de la baignoire, tourner le robinet d'eau chaude au maximum et pendant que son bain coule, elle enfile un peignoir et revient et me demande une cigarette que je lui allume machinalement en cherchant son regard obstinément ailleurs, et quand elle va s'appuyer contre la fenêtre, l'air de vouloir briser la vitre et s'envoler au-dehors, je me lève sans trop savoir ce que je veux lui dire et c'est là qu'on sonne à la porte et Manon me dit simplement : « Tu t'occupes des bagages » et me refile sa clope, et j'entends la porte de la salle de bain claquer et la clef tourner dans la serrure pendant que je vais ouvrir.

A 1 : 00 p.m., il y a beaucoup trop de monde chez Cipriani Downtown, j'attends Stanislas depuis un bon quart d'heure et j'essaie par tous les moyens de me donner une contenance : j'ai demandé au manager comment il allait, et des nouvelles de ses parents, de ses amis, de ses enfants, mais il n'a pas d'enfants et finit par me planter là, tout seul à la meilleure table, c'est-à-dire celle sur laquelle tout le monde garde en permanence un œil, et en l'occurrence, tout le monde a un œil sur moi, vidant Bellini sur Bellini à défaut de pouvoir fumer clope sur clope, les sourcils froncés, je fixe un point au hasard en simulant une concentration intense, et je finis par choper un serveur auquel je demande avec un accent français prononcé de m'expliquer la composition exacte du Bellini, ainsi que son historique, ensuite, une légère ivresse se déclare et j'aperçois sur le trottoir d'en face Kurt Cobain allongé sur une couverture écossaise en train de faire la manche, et je pense d'abord que c'est une hallucination étant donné le fait irréfutable que Kurt Cobain n'est plus de ce monde depuis bientôt dix ans, sans compter que dans l'hypothèse où il serait encore en vie, il ne serait certainement pas en train de faire la manche sur West Broadway vu cette montagne de fric que lui rapporteraient ses royalties, et après avoir de nouveau chopé mon serveur et lui avoir demandé : « Vous voyez ce type là-bas, il est bien là-bas, il existe, n'est-ce pas ? », et en avoir obtenu une réponse positive, je conclus que ce type est tout bonnement un genre de sosie, et rassuré, je déploie le *Wall Street Journal* mais, peut-être parce qu'ils sont trop petits, peut-être parce que j'ai l'esprit ailleurs, les caractères noirs sur blanc se brouillent devant mes yeux et me donnent l'impression inquiétante qu'ils n'ont *aucun sens*, et ça me fiche la trouille alors je finis par allumer une cigarette en me disant qu'on ne va tout de même pas me foutre dehors, mais toutes les têtes sans exception se retournent vers moi, horrifiées et asphyxiées alors je joue celui qui n'a rien vu en me faisant tout petit derrière ce journal cabalistique quand j'entends :

— Désolé, retenu au bureau. Trafic monstre. Rush hour. Impossible trouver taxi. Coincé deux plombes sur Time Square. Cab driver pakistanais euphorique. Venait d'avoir des jumeaux. Comme s'il n'y en avait pas assez… Qu'est-ce que tu fous avec ce journal ?

— Hum, dis-je, je lis un papier très intéressant à propos de la fabrication illicite d'une bombe A à Pyongyang, Corée du Nord.

— Derek, tu tiens ton journal *à l'envers*.

— Absolument, absolument. Gymnastique oculaire recommandée par le corps médical. Tu veux un Bellini ?

— Pfou ! souffle-t-il en se laissant tomber sur la chaise en face de moi, oui, merci.

— Hep, dis-je, un autre !

— Ça me fait plaisir de te voir, vieux, dit Stanislas.

— Moi aussi, ma poule, mais restons-en là avec les effusions, sinon je vais piquer un fard et les gens autour de nous risquent de nous attribuer une liaison.

— Alors, me demande Stanislas, tu es arrivé quand ?

— Hier soir. Dis-moi, j'ai la berlue ou il n'y a pas l'ombre d'une star de ciné dans ce restaurant ?

— Non non, rassure-toi, tu n'as pas la berlue.

— Même pas Robert De Niro planqué dans un coin ? Gwyneth ? Bret Easton Ellis ? Quelqu'un de la série Friends ? Jackie Chan ? Cinquante Cent ?

— Mais si, il y a Emma Bunton là-bas, dit-il.

— Qui est Emma Bunton ?

— Une ex-Spice Girl.

— Je ne reconnais plus New York, je soupire.

— Quand es-tu venu pour la dernière fois ?

— Il y a trois semaines, je soupire une seconde fois.

— Cesse de soupirer.

— Pardon.

— Alors, me demande Stanislas, qu'est-ce que c'est que cette fusion avec Texaco ?

— Quelle fusion ?

— *Ta* fusion avec Texaco.

— Qui est Texaco, déjà ?

— Enfin, Derek, tu te fous de moi ?

Il me balance le *Wall Street Journal* à l'endroit et je découvre en première page et avec stupéfaction qu'il y a effectivement eu fusion entre Texaco et moi et la première chose qui me vient à l'esprit, c'est que le conseil d'administration tente sûrement de prendre le contrôle de ma société alors j'envoie un texto de licenciement à Oscar, dont la teneur exacte est : « Je fusionne, je fusionne et on ne me dit rien. Tu es viré », puis je m'excuse auprès de Stanislas de cette interruption de notre déjeuner, due à l'état de qui-vive permanent que m'imposent mes lourdes responsabilités.

— J'aime bien cette musique, dit-il en digressant volontairement, ce qui m'agace un peu, qu'est-ce que c'est ?

— Rien qu'une banale compil du Café del mar d'il y a deux ans. Et cette chanson est exactement… *Travellers*, de Talvin Singh.

— Ta culture… parallèle m'étonnera toujours.

— Merci, réponds-je.

— Alors, me demande, Stanislas, tu ne t'es toujours pas mis au travail ?

— Oh, je digresse, tu as vu, tu as vu Kurt Cobain là-bas, il fait la manche allongé sur une couverture écossaise, il n'a pas pris une ride depuis sa mort !

— Vous avez choisi ? nous demande le serveur.

— Oui, dit Stanislas, des antipasti, tu partages des antipasti avec moi ? Oui ? Des antipasti alors, pour deux, et puis ensuite des penne al arrabiata, non des cheveux d'ange natures, non des penne al arrabiatta, c'est ça des penne al arrabiatta. Je voudrais des penne al arrabiatta, s'il vous plaît.

— Tu es nerveux ? je demande.

— Non.

— Elle est bizarre, votre carte, dis-je.

— Comment ?

— Elle est… normale. Je ne vois de coriandre nulle part, et les noms des plats tiennent sur une seule ligne. Vous ne trouvez pas ça bizarre ?

— Vous venez de dire qu'elle était normale ?

— Ce qui était norme hier, est aujourd'hui déviance, et personne ne sait de quoi demain sera fait.

— … ?

— Prenez la mode, ajouté-je, sans que ç'ait l'air de particulièrement éclairer sa lanterne.

— Ça n'éclaire pas particulièrement ma lanterne. Qu'est-ce que vous prendrez ?

— Je voudrais du parmesan, s'il vous plaît, un gros bout.

Le serveur note et s'en va.

— Arrête un peu tes idioties, Derek.

— Tu sais ma poule, dire des idioties dans ce monde où tout le monde réfléchit profondément, c'est le seul moyen de prouver que l'on a une pensée libre et indépendante.

« Boris Vian, j'ajoute.

Stanislas ne relève pas. Il préfère changer de sujet.

— Tu sais, dit-il, je me suis mis au piano, comme toi.

— Ah ouais ?

— J'ai pris quelques cours, et je me démerde pas mal.

— Qu'est-ce que tu déchiffres ?

— *Berlin*. Lou Reed.

— Hum, je dis, ne me dis pas que tu chantes ?

— Si.

— Ah, je dis.

Un silence.

— Et sinon, je dis, tu tires ton coup en ce moment ?

— Plus ou moins.

— A quelle fréquence exactement ? je demande en plissant les yeux.

— Disons hebdomadaire.

— Hein ? crié-je, sincèrement choqué.

— Quoi ? crie-t-il à son tour, sincèrement excédé.

— Rien, réponds-je, ça paraît léger et j'échange un regard avec Kurt, là-bas, dans la rue, et Kurt a l'air plutôt d'accord avec moi.

— Et toi, rétorque-t-il, toujours aux Polonaises mineures ?

— Non. J'en ai fini avec tout ça, dis-je en me rengorgeant, ça fait six mois que je tire la même personne à fréquence quotidienne.

— Je présume que ceci signifie que tu es avec quelqu'un sérieusement.

— Absolument.
— Fille ou garçon ?
— Fille, enfin, dis-je, sincèrement choqué.
— Tu es toujours aussi hétéro, hein ?
— Oui, je l'ai toujours été. Sauf une fois, à l'université et c'était une erreur.
— Tu veux dire que tu l'as regretté ?
— Non. C'était un Yougo. Les cheveux longs. A peine seize printemps. J'avais bu. Je l'ai pris pour ta sœur… en fait c'était ton frère et il ressemblait plus à Adrien Brody qu'à ta sœur, en fin de compte.
Un ange passe.
— Tu sais dis-je, on a gardé le contact.
Re-silence.
— Ce silence me permet de constater le mutisme vexant de mon téléphone cellulaire.
— Ce qui signifie ?
Je me racle la gorge.
— Que je n'ai pas d'amis.
Il se racle la gorge.
— Oh à part toi ma poule, bien sûr et malgré tout, j'ajoute, tu es mon seul ami.
— Hum, dit-il, bien sûr et malgré tout.
— Tu sais, je dis, tu es la seule personne à m'avoir souhaité mon anniversaire cette année, avec mon vendeur de chez Dolce à Milan, et le pilote de mon avion.
Re-silence.
— C'est quel genre ta copine, famille fin de race

dégénérée répertoriée dans *Challenges* entre la soixantième et la cent vingtième place française, klepto, nympho, psycho, et les œuvres complètes de William Burroughs sur la table de chevet ?

— Non. Rien à voir avec Julie.

— Mannequin polyglotte ? Poule de luxe au grand cœur ?

— Non, non. Elle s'appelle Manon, elle a vingt et un ans. Elle vient d'un petit village du sud de la France. Je l'ai ramassée à l'avant-première de *Superstars*. Elle essayait de faire du gringue à Leonardo.

— Une comédienne de restaurant ? Mannequin raté ?

— C'est à peu près ça.

— Elle est avec toi pour quoi ? Pour le pognon ?

— D'après toi.

— Eh, dit-il, ça ne te fait rien ?

– Non, dis-je, que veux-tu que ça me fasse ?

– C'est une pute, vieux.

– Penses-tu ? C'est juste un être humain qui essaie de réaliser son rêve..

— Je te connais, Derek, tu me caches quelque chose.

Stanislas m'a percé à jour, c'est de loin, et malgré tout, la personne au monde – encore de ce monde – qui me connaît le mieux et je ne peux pas continuer à mentir à cet homme pour qui j'éprouve un subit élan d'affection sincère à le voir là, face à moi, agité de tics et taciturne, le front terni par son expérience amère de la vie, la vilaine vie *telle qu'elle est*, et – disons le – les sacrées baffes qu'elle lui a collées (faillite de son père, amour à sens unique pour Julie, ma Julie, laideur congénitale), en train de tripoter nerveusement sa mie de pain en se demandant pourquoi – pourquoi – depuis l'enfance, je fais toujours tout mieux que lui, se demandant pourquoi il restera toute sa vie le copain un peu lourd de Derek Delano, ce milliardaire canon, suprêmement intelligent, incroyablement sensible, que tout le monde aime, que tout le monde respecte, devant qui tout le monde se prosterne et... non, j'exagère un peu... enfin, donc, pendant que ce sous-fifre, cet éternel second, ce loser que j'aime depuis la première fois que je l'ai battu avec mon avion télécommandé qui allait bien sûr beaucoup plus vite que sa pauvre maquette de Hellcat, me bombarde soi-disant sans faire exprès et de plus en plus vite de microscopiques boulettes de mie de pain, je lui raconte sans vraiment entendre ce que je dis pourquoi j'ai ramassé Manon dont soit dit en passant la pesante présence commence à me porter légèrement sur les nerfs, pourquoi je tolère cette pesante présence, et ce que je prépare d'atrocement pervers pour faire de cette innocente enfant – pas si innocente que ça, m'a viré de son plumard, de *mon* plumard, hier soir, la salope – un déchet, une épave dans notre genre, et l'intérêt psy que je porte à cette expérience insolite, ainsi que le délicieux frisson de risquer beaucoup plus de moi-même dans cette histoire que ce que je pensais au départ, mais il devine, et je devine qu'il devine, que ce n'est qu'un boiteux alibi à ma folie destructrice et sanguinaire et que je ne fais ça que parce que je suis tout simplement DÉTRAQUÉ.

— Tu es tout simplement détraqué, Derek.

Voilà, j'en étais sûr.

— Possible, mais crois-moi, depuis que ce jeu a commencé, je ne me suis pas ennuyé une seule seconde.

— Ce n'est pas un jeu.

— Oh, écoute, ça va ma poule, ceci n'est *pas* un film de David Fincher et tu n'es pas le personnage rédempteur qui met tout le monde sur la bonne voie.

— Derek, pour la première fois de ma vie, j'ai de la peine pour toi.

— Ah oui, ah oui, et qu'est-ce que ça te fait ?

— Connard.

« Toi-même » me brûle les lèvres mais au prix d'un petit effort, je parviens à me contenir.

— Euh s'il te plaît Stanislas, au nom de notre vieille amitié, je te conjure de ne pas en venir à ce genre d'épithètes, hein, ça me vexe profondément ce que tu viens de me dire, regarde, je suis tout retourné, hou, je vais pleurer dans deux secondes, David Fincher dirait : Coupez !

— Vous désirez des desserts ?

— NON ! hurlons-nous, et ça surgit de nos entrailles comme une sorte de vomissement, le serveur prend peur et s'en va pendant que nous nous affrontons, yeux dans les yeux, sourcils froncés, la haine brillant dans nos yeux concentrés, face à face, lui très laid, moi très beau sous mon bonnet Dolce.

— Je t'aimais bien Derek quand on était petits, malgré ton avion télécommandé qui allait plus vite que mon Hellcat parce que ce que tu n'as jamais compris c'est que mon Hellcat était plus beau que ta merde japonaise vrombissante. Je t'aimais bien même si ton père baisait ma mère, parce que je me disais que tu devais être aussi malheureux que moi.

— Pardon, pardon, mon avion était bien plus beau que ton Hellcat, excuse-moi, mais c'est la vérité.

— Le bon goût, ça ne t'a jamais étouffé, si ?

— Pft... que c'est méchant ! Aujourd'hui, ma poule, j'ai deux vrais avions qui volent, et toi, t'as toujours ta maquette pourrie qui trône sur une éta gère Liaigre dans ton two bedrooms flat minable même pas sur le Park, alors, moi, je n'ai qu'une chose à te dire et c'est nananère.

— Ouais, ouais, bafouille-t-il en transpirant à grosses gouttes, mais j'aurais peut-être de vrais avions qui volent si ton père n'avait pas détroussé le mien comme un infect salaud de voleur qu'il est.

— Ne dis pas de mal d'un homme qui est mort dans d'atroces souffrances.

— J'aurais peut-être un hôtel particulier sur la Cinquième, et un appart avenue Montaigne, et une baraque sur la Côte, un riad au Maroc et un chalet à Aspen, je changerais peut-être de Ferrari tous les ans, j'aurais pas été obligé de faire ce boulot de chien cupide pendant dix ans, Julie serait tombée amoureuse de moi, et je lui aurais fait des mômes, moi, pas des fix, et y en aurait peut-être eu un que j'aurais appelé Derek, et on t'aurait demandé d'être parrain et tu lui aurais offert un putain d'avion télécommandé pour ses cinq ans et il m'aurait cassé les oreilles toute la journée avec ce putain de vrombissement mais ça n'aurait pas été grave parce que j'aurais été heureux, j'aurais pas été seul, j'aurais pas été ce raté, ce loser, ce second éternel, ce pauvre type bousillé, aigri, cet infirme, à maudire la terre entière tous les jours depuis quinze ans, matin, midi et soir, et même en dormant, même en dormant, je maudissais la terre entière, et je pensais à mon père et sa dépression, ma mère qui s'est barrée, mon père en train de devenir cinglé, mon père en train de faire les cent pas dans le salon la nuit, cherchant des moyens de se renflouer, ses combines foireuses qui plantaient à chaque fois, et les déménagements, les déménagements où on revendait le passé pour pouvoir bouffer, et il devenait de plus en plus cinglé, et on avait de moins en moins de fric mais il ne fallait pas que ça se sache, et surtout pas vous, ton père, ta mère, les Delano, les putains de Delano, et tout passait en montres, en costards, en bagnoles, alors qu'on vivait les uns sur les autres dans ce two bedrooms flat minable même pas sur le Park, et Julie, Julie à l'université avec sa cour de clébards sur ses talons dans les couloirs et moi aussi j'étais sur ses talons, mais pas toi, non, pas toi, toi jamais, et ce qu'on ne savait pas, nous les clébards, c'est qu'en suivant Julie, c'est toi qu'on suivait, putain, je t'ai maudit, j'ai maudit ton père et le soir je me regardais dans le miroir et je me disais qu'un jour, un jour, tu paierais… J'aurais pas eu à vendre mon âme au diable, je serais pas en train de faire ce que je suis en train de faire en ce moment, et qui me dégoûte, et dans ton ombre encore, pour le pognon, ce sale pognon, ce sale pognon dégueulasse qui dégueulasse tout ce qu'il touche, et dont j'aurais pas eu besoin sans ton enfant de putain de géniteur, et heureusement qu'il a eu la décence de décéder avant que j'atteigne l'âge d'homme parce que sinon je l'aurais étranglé de mes propres mains cette raclure de fils de pute d'hématophage mondain.

— Ma poule, plusieurs choses, premièrement ton petit monologue n'est pas mal foutu, mais il aurait gagné en conviction dans la bouche d'un mec comme Ed Norton, de plus, mauvaise chute, la chute aurait dû me clouer, je ne suis absolument pas cloué, encore un truc que t'as raté, ensuite, cesse un peu de rêver ma vie, tertio, lâche mon pauvre père décédé, et dernièrement si Julie avait eu un fils appelé Derek, navré de te décevoir mais le prénom complet, ç'aurait été Derek Junior. Julie a toujours été amoureuse de moi, c'était pas une histoire de fric, elle aurait pu en entretenir cent comme toi, et l'hôtel particulier sur Fifth, et le chalet à Aspen et la métairie sur la Lune, etc. Simplement, elle te trouvait laid, repoussant, grotesque et dans l'intimité, elle ne t'appelait jamais autrement que le poulpe mort et j'admets qu'il y a effectivement un air, mais ce n'est pas la question, la question c'est, c'est quoi ce truc infâme que t'es obligé de faire ? Tu tapines ? Tu tues des vieilles dames riches de l'Upper West Side pour les dévaliser ? Tu vends du crack aux enfants ? Tu fais le cobaye humain, tu testes des cosmétiques douteux sur ton corps d'athlète ? Hein ?

— Tu le sauras bien assez tôt.

— Oh grands mots, menaces, je suis tétanisé, je tremble de tous mes membres, c'est pas à cause du café !

— A bientôt, Derek.

Il se lève et balance des billets de vingt dollars sur la table, d'un geste qu'il imagine désinvolte, et blessant comme un soufflet, classe, quoi, en un mot, et je ricane et je dis :

— C'est ça, à bientôt, et fais attention en traversant la rue, on n'est jamais à l'abri d'un connard bourré.

Il s'en va, passe la porte et s'éloigne et je reste seul, tout seul chez Cipriani Downtown, avec mes neuf coupes vides et l'addition payée par Stanislas, l'homme dont j'ai gâché la vie et une sacrée envie de fumer. Alors je me lève et remets mon manteau, et je vois bien que le serveur me montre du doigt au directeur en chuchotant je ne sais quoi, y a plus personne dans le restaurant. Je sors dans ce froid de gueux, fais quelques pas, rabats mon col et rajuste mon écharpe, dans la vitrine de Ralph Lauren, mon reflet se fond exactement dans un mannequin qui porte les mêmes vêtements que moi, j'allume une clope avant d'enfiler mes gants et on dirait que le mannequin fume, et s'anime, on dirait qu'il a froid. Quelqu'un tape sur l'épaule du mannequin, et je sens qu'on m'effleure l'épaule, Kurt Cobain est exposé dans cette vitrine, un peu en retrait, et j'entends : « Eh, t'as une clope pour moi », je me retourne et je suis juste beaucoup plus pété que je pense, et grâce à ou malgré mon état, au moment où je donne une Davidoff au clochard, j'ai une idée de génie qui me fait oublier jusqu'au dernier mot de Stanislas, jusqu'à son air définitif quand il m'a dit au revoir, et sa démarche de fossoyeur en s'en allant, et je dis au clochard :

— Eh Kurt, j'ai beaucoup plus qu'une clope pour toi… Eh Kurt, tu connais l'Europe ? Eh Kurt, lâche cette couverture élimée, ma voiture est chauffée.

IX

SOUVENIRS

MANON — *Au début, je ne voulais pas y croire. Il n'y pas très longtemps, peu de temps, rien, imperceptible, quelques minutes, je servais des cafés au Trying So Hard à des moins que rien qui me fascinaient. J'habitais un taudis dans le IXe déshérité. Et pour moi, c'était la grande vie.*

Il y a exactement neuf mois aujourd'hui, j'ai eu vingt et un ans. Je les ai fêtés avec mon père dans l'arrière-salle du café-tabac de Terminus, Hérault, en buvant du mauvais mousseux dans une flûte en plastique.

Ce ne sont pas des souvenirs, je m'en souviens à peine, ce n'est presque pas réel ; c'est comme un vieux cauchemar et je me suis réveillée il n'y a pas si longtemps, je me lève, passe un peignoir, appelle le room service, déplie machinalement les journaux de Derek, je contemple Vendôme, ou le Park ou la Méditerranée en buvant mon café, et ça me frappe de plein fouet au moment où je fais couler mon bain, par bribes, par impressions, par flashes, ma vie d'avant. Et la certitude vague que je ne suis là qu'en transit, et l'angoisse.

Je mesure 1 m 72 pour 46 kg, poitrine 88 cm, taille 62, hanches 88, cheveux bruns, yeux bleus. C'est ce qui est écrit au dos de mon composite, mais je suis un peu moins grande, et j'ai deux kilos de plus, les photos ont été prises par Inez Van Lamsweerd, et son joli petit assistant qui ressemblait comme deux gouttes d'eau à Guillaume Canet, c'était au Pierre où je dors avec Derek chaque fois que nous allons à New York, j'étais habillée par Dolce&Gabbana.

Sur le grand portrait, au recto, je fais la gueule et je suis retouchée à mort. Sur mon visage, pas une ombre, on dirait que je viens de naître. Et je crois que je suis née ce jour-là.

Si on y regarde d'un peu plus près, il y a le reflet de l'objectif dans mes yeux, comme une tâche de lumière.

C'était ma première couv', celle du Vogue italien.

Ensuite, il y en a eu bien d'autres, et puis des campagnes pour des voitures, des cosmétiques, du parfum, un appareil photo numérique, des capsules solaires, du Coca au gingembre, des jeans, Vuitton.

J'ai appris mes angles et mes profils, les prénoms exotiques des top models, et ceux somptueux et terrifiants des photographes stars qui sonnent comme *des titres de Radiohead, je sais qu'on est toutes anorexiques et que comme partout, tout le monde couche avec tout le monde et nie ensuite. Je me suis abonnée à* Elle, Vogue *et* Numéro, *j'ai perdu dix kilos en me nourrissant exclusivement de coupe-faim liquides, depuis je fais de la spasmo. Il paraît que c'étaient des amphétamines. Je me souviens de ces cours pavées, avec de l'herbe entre les dalles, qui menaient à des studios blancs qui sentaient la peinture. L'aube y brillait comme jamais à travers les plafonds vitrés, je buvais des milliers de tasses de café en peignoir et je malmenais les maquilleuses qui me malmenaient en retour, je me plaignais du jet lag et de l'impolitesse du photographe, je prenais beaucoup de cachets en poussant de gros soupirs, je disais que maquilleuse était un beau métier et que si je n'avais pas été assez jolie pour être mannequin, j'aurais sans doute été maquilleuse, puis on me demandait si j'étais prête et j'allais me rouler sur le sol, me coller le dos au mur, sous le fouet des ventilateurs, sous les déclics et les flashes, et j'attendais que ça passe. Je suis devenue accro aux miroirs, et aux anxiolytiques. On m'a décoloré les cheveux, du brun au platine, du platine au violet, on y a tressé des extensions, et des postiches, j'ai une frange les jours pairs, et des anglaises les jours impairs, j'ai les paupières à vif à cause des faux cils, et des éblouissements à cause du régime, parfois on me scotche les tempes au crâne pour m'étirer les yeux, on m'a barbouillée d'huile des pieds à la tête, jusque dans la bouche, j'ai escaladé des arbres en talons aiguilles, corsetée jusqu'à l'étouffement, j'ai nagé dans des flaques de boue, j'ai couru au bord des routes de L.A., en plein mois d'août, pendant des heures, et le goudron fondait sous la chaleur et poissait mes pieds nus, j'ai arpenté des kilomètres de plage par moins quinze, en maillot de bain, souriant à l'eau glacée, je me suis tordu les mains, les jambes, le corps entier, je me suis démembrée, disloquée, écartelée, pour pouvoir me transformer en rêve de photographe.*

C'était Vanity qui m'avait rappelée. Un jour au début du printemps, j'étais à Portofino, ou à Porto-Cervo, ou à Marbella ou peut-être à Saint-Tropez. Je me souviens simplement qu'il était six heures du soir face à la mer, du bruit des vagues, du soleil orange qui fonçait à l'horizon, de la douceur du peignoir sur ma peau salée, d'un goût de Bellini. Je n'étais avec Derek que depuis dix jours, et à l'époque, je n'osais même pas signer les notes d'hôtel. Mon vieux téléphone a sonné. Et tous deux avons sursauté, c'était la première fois en dix jours que je recevais un coup de fil. Derek a posé son bouquin, un essai américain sur la trahison chez Scorsese, et m'a regardée avec une expression étrange ; une expression de regret.

— Allô ?

— Vous êtes Manon ?

— Oui ?

— Bonjour, c'est l'agence Vanity.

— …

— Je ne vous dérange pas ?

— Non…

— Hum… Vous pourriez venir lundi prochain, pour des tests ?

— Vous m'appelez de la part de qui ? De Georges ?

— Non mademoiselle, Georges ne travaille plus ici. L'agence a changé de patron.

— Ah oui ? Depuis quand ?

Gêne. Raclement de gorge.

— Depuis hier.

— Et comment avez-vous eu mon numéro ?

— Je vous ai dit qu'on nous avait parlé de vous.

— Mais qui ?

— Lundi, onze heures à l'agence ?

— Qui vous a parlé de moi ? Je ne vois pas qui aurait pu vous parler de moi ?

— Lundi onze heures ?

— Oui. Oui, lundi, onze heures. Mais répondez-moi. Qui vous a dit… qui vous a parlé de moi ?

— Sûrement… quelqu'un qui vous veut du bien.

Et elle a raccroché. Je me suis tournée vers Derek qui fixait mon téléphone que j'avais laissé tomber par terre.

— Derek ? J'ai rendez-vous lundi chez Vanity, pour des tests.

— Il faut vraiment que… je t'achète un nouveau portable.

— La fille était bizarre au téléphone.

— Parce que celui-là, c'est pas possible.

— Je l'ai trouvé derrière une banquette, au restaurant.

— Ça, ma poule, j'aurais pu le parier.

— Tu crois que je vais devenir mannequin ?

Derek détourne les yeux et ne répond pas. Jusqu'à ce que le silence devienne si pesant qu'il a vraiment fallu qu'il le rompe.

— Ce qu'on peut signer comme notes d'hôtel, a-t-il dit en joignant le geste à la parole.

— Tu t'en fous ? j'ai demandé.

— Tu te rends compte que Martin Scorsese a vu plus de vingt mille films ?

Je n'ai pas insisté.

Le lundi suivant, je suis allée chez Vanity, et j'ai fait mes tests, et tout le monde me parlait avec respect et peut-être même un peu de crainte. Puis tout s'est enchaîné très vite, je n'avais pas encore reçu mon composite que j'avais déjà tourné une pub et shooté deux campagnes. Nous ne faisions que voyager, pour les affaires de Derek, ou les vacances de Derek, Derek avait sans arrêt besoin de vacances et chaque fois que j'arrivais quelque part, il y avait quelqu'un sur place qui voulait travailler avec moi. Tout le monde voulait travailler avec moi. En *quelques semaines, mon book s'est transformé en annuaire et les villes du monde entier disparaissaient sous mon trois quarts face. Je me suis mise à boire pas mal, pour tenir le rythme. On me reconnaissait dans la rue. Au début ça me touchait. Et puis ça a commencé à me fatiguer. Et aujourd'hui, ça me rend malade. Derek, ça lui est égal. Tout lui est égal. Pourtant, il s'est bien occupé de moi. Il faisait viser mes contrats par ses avocats, et puis j'ai eu mes propres avocats. Il m'a conseillée jusqu'à ce que je puisse me passer de ses conseils. Pour ce qu'il me donnait comme conseils : « Tu finiras par passer l'arme à gauche, comme tout le monde, et n'oublie jamais qu'on te regarde. » Je ne sais pas pourquoi, il me défendait de me lier avec d'autres mannequins. Il éprouvait une aversion curieuse pour les mannequins – je lui demandais ce qu'il fabriquait avec moi, alors ? Il ne répondait pas. Je n'avais même pas le droit de parler aux autres filles. Ni aux mannequins hommes. Il me suivait sur les shootings chaque fois que son emploi du temps le lui permettait, il restait là, près de la porte, dans son sempiternel imper noir, le col remonté à cause des ventilos, mains dans les poches avec visiblement une sacrée envie de se barrer. Mais il restait quand même, son casque idiot sur les oreilles. A l'époque, il écoutait The Gathering en boucle, et pouvait en parler pendant des heures, « cette alternance de tristesse tantôt cuisante, tantôt sublime ». Quel malade. Je lui disais que c'était antisocial, ce walkman permanent. Il me répondait que ça lui évitait d'entendre un sacré nombre de conneries, qu'il ne voulait voir de la vie qu'une réalité transcendée, et que de toute façon, il lisait sur les lèvres « ma poule ». Je lui suggérais de s'en faire greffer un, ç'aurait été plus discret. Il me répondait qu'il y avait déjà pensé, mais qu'il y avait heureusement encore des choses qu'il ne pouvait pas se payer. Je lui avais demandé si c'était aussi cher que ça. Il avait ricané en rétorquant que non, ma poule, simplement ça n'existait pas. Et puis il avait marmonné quelque chose à propos de sa Julie suicidée, avec qui il avait passé de tellement formidables moments, assis à côté d'elle, leurs walkmans respectifs sur les oreilles, à échanger des baisers musicaux. Je crois que c'est à cette époque que j'ai commencé à le détester. La dernière fois que nous sommes allés à New York, je lui ai interdit mon lit, sans que ça le dérange plus que ça. Je me demandais ce qu'il foutait avec moi, je passais mon temps à me demander ce qu'il foutait avec moi, et ça me rendait dingue. Je me demandais aussi pourquoi, nom de Dieu, pourquoi, alors qu'il se foutait de moi, comme de la paix dans le monde, il ne pouvait pas me laisser seule une seconde. Il m'accompagnait à tous mes rendez-vous, à tous mes shootings, et j'insistais pour qu'on le foute dehors, et personne ne voulait le foutre dehors. Il m'accompagnait faire les boutiques, et quand vraiment il en avait marre, ou qu'il devait aller bosser – Derek bosser – ou qu'il partait monter à cheval dans son haras en Normandie, il envoyait Mirko, ou le chauffeur, et j'avais cet imbécile de Mirko sur le dos du matin au soir, qui mettait des chants russes à fond dans la bagnole, et braillait « Kalinkakalinka-kalinkamaia », en frappant dans ses mains, et ne baissait le volume que pour m'abrutir d'histoires sur ses premiers ultimate fights quand il était jeune et fort et que tous les coups étaient permis, même aux couilles, et dans le dos, et la fois où il avait bouffé l'oreille d'un sumo, il l'avait bouffée, mastiquée, avalée, digérée, pas étonnant que je devienne à moitié barge avec ce cannibale en guise de garde du corps.*

Et puis, un jour, ma bookeuse a pété les plombs. Nous étions assis dans son bureau, elle me parlait de ce film de Karénine, Adrien Brody pressenti pour le premier rôle masculin, une adaptation d'une pièce de Tchekhov – j'ignorais qui était ce Tchekhov –, un projet très intello en tout cas où il était question de « mise en abyme », et le metteur en scène pensait à moi depuis cette publicité pour du Coca au gingembre – le premier spot porno jamais diffusé – trente secondes de baise torride avec Werner au clair de lune, par terre, au fin fond de la toundra russe, et ce slogan génial : « Ginger coke, de quoi avez-vous vous soif ? » Un scandale. Karénine aimait les scandales. Enfin, c'est ce que me disait ma bookeuse, et parce qu'il aimait les scandales et ceux par qui ils arrivent, il me voulait absolument pour ce rôle, il avait adapté la pièce avec ma photo en fond d'écran sur son ordinateur, et là j'ai eu les larmes aux yeux, parce que j'avais beau être devenue une garce, une sale garce mégalomane et corrompue, c'était mon dernier rêve, le cinéma, mon seul rêve, en fait, et il allait se réaliser, et je me suis vraiment mise à pleurer de joie, et elle s'est mise à pleurer, elle aussi, disant qu'elle n'en pouvait plus, que trop c'était trop, au-dessus de ses forces, qu'elle ne pouvait plus continuer, et elle a quitté le bureau. J'étais perplexe et Derek aussi. J'ai dit que je ne comprenais pas ce qui lui avait pris. Derek m'a répondu qu'elle aurait peut-être voulu faire du cinéma elle aussi, mais que malheureusement pour elle, le secteur était relativement bouché pour les obèses ou alors elle était enceinte. Le lendemain, elle a démissionné, j'ai eu le film, et c'est une autre bookeuse qui s'est occupée de moi. A la voix, j'ai reconnu la fille que j'avais eue au téléphone, six mois plus tôt, et qui m'avait convoquée chez Vanity pour mes tests. Mais je devais me tromper car elle me disait que non. Il y avait de toute façon tant de choses que je ne comprenais pas : parfois je pensais que j'étais folle ou schizo, et Derek m'a envoyée chez son psy qui m'a prescrit des antidépresseurs et des somnifères, en me recommandant vivement de ne pas les mélanger avec de l'alcool ou de la cocaïne. Et puis j'ai fait ce film : La Mouette. *Mon personnage s'appelait Nina, et voulait être actrice. On a tourné en décor unique, sur un seul plateau, au fin fond des studios de Cinecittà. Un décorateur de génie, qui s'appelait Charlie, dont tout le monde parlait, mais qu'on ne voyait jamais, avait reconstitué une ferme russe de la fin du XIXe. Derek avait eu les larmes aux yeux en découvrant le décor. C'est lui qui produisait le film. L'équipe était restreinte, et personne ne parlait français. Excepté Derek et Adrien Brody à qui Karénine m'avait défendu de parler pendant les coupures pour ne pas nuire à notre jeu. De toute façon, nous n'avions pas grand-chose à nous dire. Karénine était complètement cinglé. Il était de ces metteurs en scène torturés et mégalos qui considèrent les acteurs comme leurs choses, et leur façonnent le corps et l'âme à coups de marteau. J'ai eu les cheveux sales pendant six semaines. J'ai porté des chaussures percées. « Tchekhov aurait été content », ne cessait de répéter Karénine. Il n'appelait jamais Adrien autrement que Constantin, et toute l'équipe l'appelait Constantin aussi. C'était le prénom de son personnage. Moi, on m'appelait Manon, et j'ai voulu y voir un traitement de faveur.*

Karénine me coachait lui-même pour l'anglais, et quant au jeu, je n'avais pas une seconde de répit. Je devais « être » le personnage et toute l'équipe avait pour directive de me brimer, me maltraiter, me bousculer pour agrandir au maximum cette fêlure qui était en moi et qui me permettrait de me « transcender » devant la caméra, et moi, j'en avais assez de ce mot « transcender ». Karénine m'insultait en russe. Il cassait tout sur le plateau. Il écoutait les Nocturnes de Chopin pour se calmer, il disait que s'il avait été un morceau de musique, il aurait voulu être l'Opus 72 n° 1 en sol mineur. Il était cinglé.

Derek traduisait les insultes et commentait les bris de matériel :

— Là, il vient de te traiter de vilaine prostituée décérébrée.

« Là, il vient de jeter son porte-voix par terre.

— Merci, j'ai vu.

Derek n'était pas d'accord à propos de l'Opus 72, il disait que lui aurait préféré être l'Opus 48 n° 1 en mi mineur, et tous deux s'embarquaient dans des polémiques sans fin, moi, je quittais le plateau dès que Karénine avait le dos tourné, pour aller me saouler la gueule avec ma coiffeuse au bar de son hôtel, elle baragouinait quelques mots de français, mais de toute façon, après quelques verres, cela n'avait aucune importance, car la langue de la vodka est universelle. Chaque nuit, je me plaignais auprès de Derek des mauvais traitements de Karénine, et Derek me répondait : « Tu voulais être actrice ? Tu voulais être actrice ? Tu voulais être actrice ? » Nous n'arrivions pas à dormir. Au bout de deux semaines, j'avais de tels cernes que *j'ai demandé à jouer avec mes lunettes de soleil. Evidemment, on ne me l'a pas permis. J'avais à peine le droit d'aller pisser. La maquilleuse devait accentuer mes cernes et creuser davantage mes joues. Je ressemblais d'une façon assez convaincante à un cadavre. Derek allait aux putes à Rome, et revenait. Je lui faisais une scène, il niait en bloc et prétendait qu'il était aller visiter la chapelle Sixtine. On dormait à la Posta-Vecchia, et le contraste entre le luxe de l'hôtel et la saleté du plateau devenait insoutenable. Le soir, sur la terrasse qui surplombait la mer, je m'asseyais seule, mes cheveux dégueulasses planqués dans un fichu Pucci, car, à peine consciente, complètement pétée au Bellini, j'écoutais les vagues se briser sur les remparts, sous mes pieds, puis refluer, tout le monde me regardait en chuchotant, et là, je me disais que ma vie n'était pas dénuée d'une certaine poésie, et que si Derek avait été autre, j'aurais sans doute été heureuse. J'aimais me lever à six heures et dévorer mon petit déjeuner, sachant que je prenais des forces pour faire ce que j'aimais : jouer, j'aimais la caméra, l'agitation du plateau, j'aimais même répéter vingt fois la même prise, j'étais mieux là qu'à Terminus, et même si je ne supportais pas Karénine, je savais que c'était un des plus grands, et que la gloire était proche.*

J'avais doublé les doses d'antidépresseurs.

Et puis ce tournage qui n'en finissait pas s'est

arrêté net, aussi net que devait s'arrêter le film. Je provoquais le suicide d'Adrien et c'était la fin. Nous avons plié bagage, j'ai emporté un clap en souvenir et Derek s'est moqué de moi.

En attendant que le film soit monté, nous sommes repartis à New York. Puis à Tokyo. Puis à Istanbul. Puis à Dubaï. Puis à Londres. Puis à Monaco, pour nous reposer, nous reposer de quoi ? avant ces quatre derniers jours apocalyptiques à Saint-Tropez. C'est à Monaco que j'ai compris que je faisais ce qu'on appelle une dépression, dépression qui allait devenir tout simplement mon état normal : je me sentais curieusement vidée. J'attendais avec impatience la promo, puis la sortie du film. La seule pensée qui me faisait tenir, c'était mon art, c'était montrer mon travail à la face du monde, j'en avais assez d'être juste un top model, j'avais envie de dire : « Regardez, je suis aussi une artiste. » J'ai trompé Derek avec un joueur de polo argentin. Je le lui ai dit le soir même. Il a à peine réagi :

— Ah bon, pourquoi ? m'a-t-il demandé.

— Je ne sais pas... peut-être parce que j'aimais bien sa Murcielago.

— Pfft, a-t-il répondu, une location !

Puis il m'a raconté l'histoire de ce taureau, Murcielago, ce taureau tellement beau et tellement vaillant que le torero n'a pas pu se résoudre à le mettre à mort, et je lui ai demandé :

— Pourquoi est-ce que tu me racontes cette histoire débile, qu'est-ce que j'en ai à foutre de ton taureau, fous-moi la paix avec tes anecdotes à la con, tu m'emmerdes.

Et il m'a répondu très calmement :

— Tu es peut-être ce taureau, ma poule.

Et à tous nos dîners, personne ne parlait français. Monaco m'ennuyait à mourir, et c'est avec un sentiment d'amertume intense que j'errai dans les couloirs de l'hôtel de Paris. Il m'arrivait souvent de déjeuner seule, et il me fallait répéter trois fois ma commande avant qu'on me comprenne, tellement je parlais bas. Je passais des journées très longues au bord de la piscine de l'hôtel, à évaluer la fortune des autres, et les haut-parleurs diffusaient des airs de tango qui me donnaient l'impression qu'ils s'envolaient vers l'horizon, tandis que moi, je restais scotchée à mon transat. J'étais tellement bronzée que je ne pouvais plus bronzer. On regardait beaucoup ma montre et mes diamants. On me regardait beaucoup. Un jour, je me suis enfuie. On m'a retrouvée chez Chanel, planquée dans une cabine d'essayage. Le lendemain, c'était dans tous les journaux. Derek m'a réveillée en me les jetant à la gueule et en répétant, presque en colère : « Dignité, ma poule, dignité, tu sais ce que ça veut dire ? »

Je lui ai dit que je faisais une dépression, Derek m'a traitée de capricieuse. Je pensais qu'on tra-

fiquait mes médicaments. Derek m'a traitée de parano. Il était sans arrêt pendu au téléphone et raccrochait quand j'arrivais. La vie était loin d'être drôle. On allait à beaucoup de soirées, où on croisait toujours les mêmes gens. On se faisait prendre en photo. Les photos étaient dans les magazines la semaine suivante. Je buvais presque autant que Derek. On ne se supportait plus. J'ai décidé de me couper les cheveux et de les teindre en blond platine. Je me suis fait tatouer le contour des lèvres. J'ai rajouté du collagène. Je me suis fait engueuler par mon attachée de presse. Je l'ai virée. J'étais au régime permanent. Je parlais avec un accent italorusse. Je disais que c'était le mimétisme. En fait, c'était pour me donner un genre. Je ne supportais plus le monde. Je faisais fermer les boutiques, j'essayais tout, je renversais mon café sur les vendeuses et je partais sans rien acheter. J'avais trop de vêtements. Je jetais tout à la fin de la saison. Tous les gens que nous voyions étaient soit beaux, soit riches, soit célèbres, parfois les trois, et pourtant, le pathétique était partout. J'avais peur du pathétique comme d'une maladie contagieuse. Je n'avais pas d'amis. Le monde était trop petit, avec Derek, nous étions d'accord sur ce point. Derek en peignoir du Ritz. Derek en peignoir « Hôtel de Paris ». Derek en peignoir « Il Pelicano ». Derek en peignoir « Principe di Savoia ». Derek en peignoir « San-Regis ». Derek en peignoir « Delano », se trouvant ridicule. Derek en peignoir « Château de la Messardière ». Derek en peignoir « The Dorchester », Derek en peignoir du Hilton de l'aéroport de Dubaï (un transit un peu long), Derek en peignoir « Château Marmont », puis Derek en peignoir brodé à ses initiales, dans sa maison de Saint-Tropez. Beau à couper le souffle, cigare au bec, sourcils froncés, avec toujours une bonne raison d'être au bout du rouleau. Parfois je me demandais pourquoi je le haïssais à ce point. Peut-être parce que je me haïssais moi-même. Peut-être aussi parce qu'il faisait tout pour que je le haïsse. Je n'avais de toute façon plus assez de forces pour le haïr comme je l'aurais voulu.

J'étais tout simplement lasse.

Nous sommes rentrés à Paris pour démarrer la promo.

X

SUMMERTIME

DEREK — De la véranda où je me suis installé seul et sans rien, ni livre, ni compagnie, pas même un téléphone, je regarde juste le soleil fatigué de sept heures du soir, qu'à travers mes lunettes je vois jaune orangé, ocre presque, couleur *Bagdad Café*, et dont le reflet dans la mer à perte de vue, la mer que je ne peux m'empêcher de trouver scintillante, malgré le cliché, me donne l'étrange impression d'onduler au rythme de ce vieux disque de Janis Joplin que je viens de retrouver au fond d'un tiroir dans la chambre de ma mère, et sans doute parce que je suis un peu défoncé à tout et n'importe quoi (du vin, de l'herbe, quelques cachets de Temesta), je suis absolument persuadé que tout ce que je vois *est* cette musique, que ce soient les roses, les mimosas et toutes ces fleurs qui s'agitent et dont j'ignore le nom, ce matelas fluorescent oublié à la surface de la piscine, malmené par le mistral, une serviette

Hermès qui s'envole et disparaît, les rochers noircis, battus par les flots, les flots surtout, la fumée de mon cigare, et mon ombre allongée sur le mur blanc, et l'horizon, l'horizon, l'horizon, et plus que la conviction d'être dans un mauvais clip, plus que cette vue qui m'emplit d'enthousiasme, d'un enthousiasme un peu amer parce qu'il y manque quelque chose d'humain, plus que cette musique passée, il y a l'ombre de ma mère, belle et floue, comme en super-8, avec ses Wayfarer et son maillot Missoni, ramenant d'un geste impatient les mèches échappées de son turban, en équilibre instable sur ces mêmes rochers, et m'appelant pour que je sorte du canot, m'appelant : « Derek, Derek », m'appelant pour qu'on rentre à la maison. Et il faut que le soleil se planque enfin derrière la colline d'en face, pour rompre le charme, que tout passe de l'ocre au gris bleuté, que j'enlève mes lunettes de soleil dont je n'ai plus besoin pour me rendre compte que je suis en train de pleurer.

Manon passe à cet instant, et me voit. Suspend sa marche une fraction de seconde, elle a vu l'expression, les larmes, et à quelle vitesse j'ai remis mes lunettes noires, et la façon dont j'évite son regard. Elle détourne le sien et passe.

Elle porte des lunettes noires aussi, alors qu'il commence à faire nuit. Elle est platine, maintenant, les cheveux courts coupés juste au-dessous des pommettes. Elle n'a plus que la peau sur les os. Elle a les lèvres tellement gonflées qu'on dirait qu'elle s'est fait tabasser. Dans son walkman, elle écoute en boucle la dernière chanson de Shaggy qui s'appelle *Salopes*. Elle a toujours eu des goûts de chiottes. Elle se déhanche au ralenti, comme un tapin à cinq euros. A sa démarche mal assurée, je sais qu'elle vient de se faire gerber. Je sais aussi tout ce qu'on pourrait y déceler, si on lui faisait une prise de sang. Je sais qu'elle se déteste. Je sais qu'elle me déteste aussi. Et tant mieux, ça soulage ma conscience.

Dans la lumière irréelle de ce clip, elle ressemble à une icône morte.

Elle disparaît dans le pool house, et je la rejoins pour la baiser.

Chaque jour, sa ressemblance avec Julie s'accentuait, et accentuait mon malaise. Julie était une aristocrate, au visage ciselé, à la voix cristalline, impossible à décoiffer même en mer. Manon n'avait pas son allure, elle ne l'aurait jamais. Elle ressemblait à Julie, d'une façon étrange et effrayante, à une Julie vitriolée, diminuée, dégradée, qu'on aurait arrachée à sa prison dorée et battue à mort. Elle ressemblait à l'épave que Julie serait peut-être devenue si elle avait vécu. Et dans mon trouble, je commençais à me dire que ça valait mieux qu'elle n'ait pas vécu. Je me disais ça par exemple, quand je m'éveillais le premier, et que j'apercevais Manon allongée sur le ventre, en travers du lit, son innocence perdue, retrouvée dans un rêve, répandue sur ses traits, avant qu'elle ne s'éveille à son tour et reprenne conscience et la pose à ma vue, avant de foncer dans la salle de bain se badigeonner de son maquillage de pute, je me disais ça quand je regardais ses premières photos, ses joues pleines, ses cheveux bruns, bouclés, son air reconnaissant, je m'étais dit ça il y a à peine quatre jours encore, sur la route, en venant ici, mais aujourd'hui, je ne sais plus quoi penser, je crois que je suis au bout du rouleau.

Nous avions quitté Monaco après cette nuit blanche délirante que nous avions passée à strictement ne rien faire, à part tourner en rond dans la chambre en fumant des millions de clopes, et en avalant Stilnox sur Stilnox, sans savoir d'où venait cette angoisse, et surtout sans nous adresser un mot, *The 25th Hour*, stoppé sur le menu, avec cette musique d'abattoir qui démarrait, s'arrêtait puis reprenait sans qu'on puisse dire pourquoi, nous commandions n'importe quoi au room service, du thé, des cocktails, des œufs brouillés aux truffes, des cigarettes à la menthe, et nous n'en avions plus envie quand ça arrivait alors nous renvoyions tout en cuisine, pour le commander de nouveau cinq minutes plus tard. Nous avons essayé de jouer au backgammon, mais Manon tentait constamment de tricher, nous avons essayé de regarder le film, mais beaucoup de gens nous téléphonaient pour nous inviter à des dîners officiels ou non, au casino, au Jimmy'z. A Bono qui me proposait un verre au Sass, j'ai répondu que ce soir, j'avais juste envie de me laisser mourir sur place et Manon s'est emparée du téléphone en hurlant qu'elle n'avait rien à se mettre et lui a raccroché au nez. Je crois qu'elle était préoccupée par sa dernière couverture, celle du *GQ* anglais, pas assez retouchée à son goût, elle disait qu'elle avait l'air d'une lesbienne gothique à cause des cernes, du khôl et des cheekbones, elle ne cessait de répéter : « Tu as vu ma gueule sur le *GQ* ? Tu as vu ma gueule sur le *GQ* ? », « A l'heure qu'il est, toute l'Angleterre doit bien se foutre de ma gueule : je ressemble à Kylie Minogue sans maquillage, non à Victoria Beckham avant chirurgie, non à Lara Flynn Boyle dans le *Vanity Fair* de la semaine dernière ! » et, tout en notant mentalement de mieux choisir la prochaine photo, je lui répondais : « Oui mais Kylie, Victoria et Lara ne sortent pas avec moi », ce qui l'a agacée au plus haut point (mais tout ce que je disais l'agaçait au plus haut point), et elle a hurlé : « Je ne veux pas être la petite amie de ! », à quoi j'ai rétorqué : « Eh bien tu as tort, ma poule, parce que j'en connais pas mal, moi, de gonzesses qui voudraient bien être la petite amie de », et voyant qu'elle se retournait, toutes griffes dehors, prête à me lacérer le visage, j'ai ajouté : « Et des bonnes ! », heureusement, l'irruption dans la chambre d'une énorme guêpe mutante qui s'est mise à se balader sur le visage tuméfié d'Ed Norton m'a sauvé d'une mort atroce en provoquant ce qu'on appelle en jargon militaire une « diversion », Manon a escamoté ses griffes, sauté en l'air et s'est agitée comme une possédée, en braillant : « Tue-la, tue-la, tue cette salope », ce que j'ai fait, valeureusement, avec le *GQ* incriminé, et quand tout danger a été écarté, Manon s'est blottie dans mes bras en murmurant d'une toute petite voix : « Elle est morte ? », et je lui ai montré le *GQ* avec le cadavre de la guêpe incrusté entre ses sourcils de lesbienne gothique et elle a fondu en larmes en gémissant : « C'est tout ce que je mérite ! », et c'est avec soulagement que nous nous sommes rendu compte que le soleil se levait.

Nous sommes partis très vite et très sales parce que nous n'avions pas envie de nous doucher, nous avons simplement emporté les albums de Gathering, de Counting Crows et de Nina Simone dont finalement nous n'avons écouté qu'une seule chanson, en boucle, et c'était *Don't let me be misunderstood*, parce qu'avec le soleil qui montait, montait à une vitesse vertigineuse au-dessus des petites routes du bord de mer, l'odeur de café, le vent dans nos cheveux, et bien que nous n'ayons pas dormi depuis des jours, cette musique nous donnait d'impression de renaître, et je regardais Manon en jean, avec un simple débardeur blanc taché de café, les cheveux relevés, avec ses grosses lunettes de star de ciné, pieds nus contre le pare-brise, je l'écoutais chanter à tue-tête, et rire en m'écoutant reprendre le refrain, et là j'ai vu distinctement, tout en sachant pertinemment que c'était une totale hallucination due aù Stilnox, à l'état de ravage avancé de mon cerveau ou tout simplement à la fatigue, le visage de Julie, immaculé et serein, triste comme un adieu, s'élever au-dessus de moi et éclater comme une bulle de savon, et juste après, Manon a pressé ma main sur le volant pour attirer mon attention sur un nuage qui lui ressemblait, et a cligné des yeux en fronçant les sourcils en me demandant « quand est-ce qu'on arrive », puis elle a bâillé et a appuyé sa tête contre mon épaule et je me suis dit : « putain ce que je suis heureux ».

Nous avons roulé jusqu'à Saint-Tropez où mes parents m'avaient laissé cette maison dans laquelle j'avais passé tout ce temps avec ma mère. Mon père n'avait jamais voulu y retourner après sa mort, jusqu'à ce qu'il se marie avec cette salope d'Anka qui ne concevait pas la fin du mois de juillet ailleurs qu'à Saint-Trop, et ailleurs que chez moi, car elle avait le mal de mer, détestait le Byblos et il n'y avait pas d'autres quatre étoiles luxe à Saint-Tropez. Alors mon père avait rouvert la maison, découvert les meubles, décroché le portrait de ma mère, et condamné sa chambre. Anka, avec ce bon goût, cette délicatesse, cette discrétion qui la caractérisent, avait tenu à « redécorer », et de follement sixties, la maison était devenue follement ringarde, et d'un tape-à-l'œil côte Ouest tout simplement insoutenable : il fallait absolument à cette femme du cuir blanc, du marbre rose et des jacuzzis dans toutes les pièces, et des colonnes et des tourelles, elle avait fait arracher la mosaïque bleu foncé du fond de la piscine pour faire repeindre celle-ci en turquoise « Mers du Sud », et avait abattu la muraille de vieilles pierres que ma mère avait mis tant d'années à fleurir qui surplombait la piscine, pour l'agrandir et la faire déborder dans la mer, et avait rasé la roseraie pour une piste d'hélico, et la maison de mon enfance, tellement « dolce vita », tellement « riviera », tellement Tender is the night *avait désormais autant de charme qu'une vieille Californienne liftée.*

A l'époque, j'avais quatorze ans, et la simple évocation de ma mère suffisait à me donner le vertige, j'ai haï cette femme pour qui je n'avais éprouvé jusque-là qu'une vague antipathie et un mépris de circonstance. Je lui avais demandé :

— Dis-moi, ma poule, quand tu vas à Las Vegas, c'est pour en admirer les beautés architecturales ?

— Non, avait-elle rétorqué, c'est pour aller au casino claquer le fric de ton vieux père.

— Oh, et quand tu ramasses les plaques, est-ce que tu penses à ton passé de prostituée à trois kopecks en te disant que tu es fière du chemin parcouru ?

— Derek, railla-t-elle, pourquoi est-ce que tu ne m'appelles jamais maman ?

— Parce que... tu n'es qu'une Ivana Trump ratée.

— Petit con, je te ferai déshériter !

— Je crois que tu ne saisis pas très bien le concept de « fils unique ».

— Et penses-tu que ton père puisse saisir le concept de « fils unique héroïnomane » ?

— Je ne me suis jamais piqué et tu le sais très bien.

— L'important ce n'est pas ce que je sais, l'important, c'est ce que je lui dis... Et puis tu y viendras, Derek, crois-moi, tu y viendras...

— Ah oui, et qu'est-ce qui te fait dire ça ?

— Tu seras camé, mon pauvre enfant, tu seras dépressif et camé, et tu feras bien pire encore, tu verras...

— Ah oui, et pourquoi, pourquoi je ferais tout ça ?

— A cause de l'ennui.

Manon était rentrée dans la maison avec l'air blasé de quelqu'un qui y aurait grandi, avec mon air blasé en fait, elle m'avait gratifié d'un « Oh, c'est très joli » assez peu convaincant et, cherchant sournoisement l'erreur avait traversé le salon jusqu'à la véranda où avisant la maison d'amis, elle m'avait demandé pourquoi les voisins étaient si proches de nous. Je lui avais répondu qu'après avoir fait repeindre les volets, nous n'avions plus assez d'argent pour édifier un mur de séparation, à quoi avait suivi un silence embarrassant. Il était huit heures du matin, nous étions côte à côte sur la véranda, comme sur une île, avec la mer à nos pieds, et un sentiment de liberté tellement intense qu'il en était presque insoutenable, j'aspirais de grandes bouffées de vent, en me disant, encore, comme une obsession, que je n'aurais voulu personne d'autre qu'elle à mes côtés, puis j'ai tourné la tête pour le lui dire : elle était partie se coucher.

Nous avons passé quatre jours à nous fuir, et je me sentais con, aussi con que Pygmalion, un Pygmalion en t-shirt Dolce, un peu trash et déglingué, qui, au lieu de fabriquer des statues, les défoncerait à coups de marteau pour se rendre compte ensuite, en émergeant d'un long sommeil de came, qu'il est tombé amoureux des débris.

Manon était foutue. Quoi que je fasse, elle était foutue. J'avais défoncé la statue. Je ne pouvais plus rien faire pour elle. Même si j'avais tout arrêté... Tout arrêter, c'était ce qui était prévu, de toute façon, pour achever le boulot. Tout arrêter, c'était la perdre. La perdre et la rendre dingue, en la rendant à sa vie de merde après avoir exaucé ses rêves de conne. Lui dire la vérité, c'était la perdre, en brisant ses rêves de conne. Tout ce que j'aurais pu faire, c'était les exaucer pour de bon, ses rêves de conne. Mais elle m'aurait quitté. Un jour, elle m'avait dit : « Quand je pourrai me passer de toi, je te quitterai. » Et je lui avais demandé, sincèrement touché et à cet instant, prêt à tout : « Tu ne peux pas te passer de moi, ma poule ? » Elle avait ri, de ce rire atroce et avait répondu : « Je veux dire, quand je serai assez célèbre, et assez riche. » J'avais ri à mon tour, d'elle, de moi-même et de cette situation inextricable, et j'avais conclu : « Donc tu ne pourras jamais te passer de moi, ma poule. »

Je n'ai appelé personne pendant ces quatre jours, je n'ai pas déplié les journaux. Le téléphone ne cessait de sonner, alors je l'ai débranché. Je me sentais espionné et profondément malheureux. J'écoutais The Gathering même en dormant. Tous les matins, je prenais un jet-ski et j'allais faire un tour. La mer était bleu foncé, presque noire à tra vers mes lunettes de soleil constellées de taches de sel, elle avait un goût amer dans ma bouche. Il n'y avait pas une vague. Je cherchais les sillages des bateaux pour pouvoir les surfer. J'ai fait la course avec Puff Daddy qui voulait racheter ma maison. Des paparazzis nous ont coursés. Je croisais beaucoup de connaissances, et des connaissances de mon père. Je ne leur disais pas bonjour.

Manon se réveillait vers midi. Elle commandait n'importe quoi, et prenait son petit déjeuner sur la terrasse, face à la mer qu'elle fixait d'un air stupéfait. Puis, elle s'étendait sur un transat, au bord de la piscine et y passait la journée. Je l'y suivais parfois, et nous nous ennuyions face à face jusqu'à ce que la nuit tombe, et dans mon esprit engourdi par la chaleur et l'inaction, une seule idée, menaçante, omniprésente : non-retour, non-retour, c'était tout ce que je pensais, c'était tout ce que je voyais, sous ce ciel sans nuage, la surface immuable de l'eau de la piscine, les dalles blanches craquelées par le soleil, Manon alanguie, en maillot noir une pièce, la peau caramel, les cheveux poissés d'huile, ses yeux aussi bleus que la piscine dans son visage trop bronzé, me fixant, puis se détournant dès que je la regardais, et le bruit mat de ses pas sur la pierre brûlante quand, crevée par la chaleur elle se jetait dans la piscine, le clapotis de l'eau, sa respiration plus courte, sa voix neutre quand elle remerciait le garçon qui nous apportait à boire, le crissement des pages du roman qu'elle faisait semblant de lire, le déclic de son briquet quand elle allumait une cigarette, le stupide chant des cigales, le bruissement du mistral, tout semblait chuchoter à mon oreille et pour me rendre fou : « Non-retour, non-retour. »

De ces jours flous à Saint-Tropez, je ne me souviens que de mon errance, de la canicule écrasante, de ce jeu de regards glacial, de l'eau bleue de la piscine, d'un air de Janis Joplin.

A la Voile Rouge où je l'emmène déjeuner le troisième jour, dans une de ces tentatives de rapprochement maladroites qui se soldaient immanquablement par une prise de distance encore plus marquée, Manon porte une robe Pucci très ample et très courte, le chapeau assorti, les lunettes assorties, et ma Daytona, sa tenue est à la fois élégante et voyante, originale et banale, simple et sophistiquée, ce qui fait qu'un observateur impartial aurait sans doute beaucoup de mal à déterminer si c'est ma jeune épouse, une prostituée de luxe d'origine étrangère, une starlette d'origine étrangère ou ma petite sœur, mais en tout cas, tout le monde la regarde, nous regarde, et un grand silence se fait quand nous sortons de canot pieds nus, ce qui nous donne un chic fou, et que nous gagnons le restaurant pendant les premières mesures du remix de la musique du *Mépris*. Ravi de me voir, le serveur défoncé gaffe avant même qu'on soit assis en disant à Manon :

— Salut Julie, ça me fait plaisir de te voir, je croyais que tu étais morte mais tu es simplement un peu amochée.

— Je pourrais avoir plus de brumisateurs s'il te plaît ma poule, dis-je au serveur défoncé dans un but évident de diversion pour que Manon ne lui casse pas la gueule à coups de bouteille de Beaulieu, on étouffe ici, hein, et oriente-moi cette table un peu mieux, je préfère avoir vue sur la mer plutôt que sur George Clooney.

— Moi, je préfère avoir vue sur George Clooney.

— Toi, tu ne comprends rien aux beautés de la nature, tu n'es qu'une starfuckeuse et de toute façon, c'est moi qui paie, alors c'est moi qui décide.

— George Clooney est une beauté de la nature.

— Laisse George tranquille, ma poule, tout Saint-Tropez est déjà sur le coup. Hi George, dis-je à George, qui s'est approché pour me dire chaleureusement bonjour, je lui serre la main, bravo pour ton film, ajouté-je.

— Jolie chemise, répond-il avant de repartir draguer la danseuse à mille euros la nuit.

— Qu'est-ce qu'il t'a dit, qu'est-ce qu'il t'a dit ?

— Il m'a dit qu'il se tapait la reine d'Angleterre.

— Vous avez choisi ? demande le serveur foncedé de plus en plus foncedé.

— Ouais, dis-je avec un soupçon d'agacement, une table avec vue sur la mer.

— Des cœurs de laitue sans sauce.

— Du Cristal rosé, pas celui pour arroser les touristes.

— Le numéro de George Clooney.

— Je l'ai le numéro, connasse, et je ne te le donnerai pas. Qu'est-ce que tu veux boire ?

— De la Teenant.

— Y a pas, répond le serveur, décidément défoncé.

— Dis donc, dis-je, ce n'est pas parce que je parle mal à cette salope qui partage ma vie que t'es autorisé à faire la même chose.

— Et puis je suis une star, merde, rajoute Manon.

— Y a pas : y a pas, qu'est-ce que j'y peux ?

— Tu dis : y a pas, madame.

— Y a pas, madame.

— Madame boira donc du Cristal et bouffera des spaghettis au homard avec moi, sinon elle rentrera à la nage. Capiche, ma poule ?

— Capiche, connard, mais je me ferai vomir, et tu détestes ça, répond Manon.

— Ce que tu fais de ta santé ne me regarde pas, quand je bouffe, tout le monde bouffe, c'est tout.

Le serveur défoncé s'éloigne et pendant quarante secondes, nous n'avons strictement rien à nous dire.

— C'est quoi cette musique débile, demande Manon.

— C'est *Le Mépris*.

— C'est quoi *Le Mépris* ?

— Jean-Luc Godard, ça t'évoque quelque chose ?

— C'est quoi *Le Mépris* ?

Je renonce.

— C'est le sentiment que j'éprouve à ton égard en ce moment.

Un ange passe et je remarque la précision du bruit des vagues, précision telle que je soupçonne le staff d'en diffuser un enregistrement, ce qui ne serait pas étonnant dans ce monde où rien n'est vraiment vrai.

— Derek ?

— Oui, ma poule ?

— Tu as vu les rushes ? Karénine n'a pas voulu me montrer les rushes. Il veut que j'attende que le film soit monté.

— Ouais je les ai vus, je mens, je les ai vus…

— Et alors ?

— Alors quoi, y a pas de son, pas de musique, pas de couleurs, c'est pas du cinéma, c'est aussi laid que la vie.

— Mais moi, moi, j'ai quelle gueule ?

— La même que maintenant, sans lunettes et moins bronzée.

— Mais… je suis bien ?

— Ma poule, ça te tracasse tant que ça ?

— C'est mon rêve le plus cher, le cinéma, enfin Derek, ça fait un an qu'on est ensemble et tu ne sais même pas ça ?

Un second ange passe, la Voile fourmille d'anges aujourd'hui, le serveur défoncé apporte le champagne et les coupes, George Clooney très en forme est debout sur la table avec la danseuse à mille euros la nuit. Je me racle la gorge.

— Pfft, dis-je, et toi tu ne sais même pas qui est Jean-Luc Godard.

— Ça n'a rien à voir, Derek.

— Et je ne sais pas… Stanley Kubrick par exemple, ça te dit quelque chose ?

— Il était… réalisateur ?

— Manon, tu n'en as rien à foutre du cinéma.

Tu récites par cœur les comédies romantiques avec Hugh Grant, tu croyais que Karénine était un dictateur communiste du début du XXe et John Wayne un président des Etats-Unis, tu t'endors devant un film en noir et blanc, tu trouves Nicholas Ray ringard, tu as regardé *Taxi Driver* en VF, tu crois qu'Almodovar est italien, que Mel Gibson est grand, que Woody Allen est un pivert, que *Last Tango in Paris* n'est qu'un titre de Gotan Project, tu préfères Pierce Brosnan à Steve McQueen, Jude Law à Maurice Ronet, il y a deux mille deux cent cinquante-trois DVD à l'hôtel et tu te passes *La Boum* en boucle…

— Mais j'aime *La Boum*, c'est génial *La Boum*, je voudrais que la vie soit *La Boum*… proteste-t-elle, vaguement au bout du rouleau.

— Manon, dis-je, lui prenant les mains dans une sorte d'élan qui n'est absolument pas mon genre : si le film que tu as tourné n'était pas exactement ce que tu crois, si tu ne faisais pas de cinéma, si tu ne devenais pas célèbre…

— Mais je suis célèbre… murmure-t-elle, au bord des larmes.

— Admettons. Si tu arrêtais tout, qu'on t'oubliait, qu'on ne te demandait même plus d'autographes dans la rue, tu vivrais avec moi, tu aurais tout ce que tu désires, et tout ça, tout ça s'effacerait lentement de ta mémoire, tu me pardonnerais, on essaierait d'être heureux, je veux dire le moins malheureux possible, et tout ça ne serait plus qu'un mauvais souvenir... dont on ne reparlerait plus jamais...

— Te pardonner quoi, Derek ? bafouille-t-elle, en tentant d'allumer une cigarette malgré le vent et le tremblement de ses doigts.

— Me pardonner d'être... bizarre. D'avoir été bizarre depuis le début, et je te promets que je ne serai plus bizarre si seulement, si seulement...

— Si seulement quoi ? Si seulement j'arrêtais ma carrière pour qu'on en soit exactement au même point toi et moi, pour partager... l'échec de ta vie ?

— Carrière, c'est un grand mot, ma poule. Echec aussi, c'est un grand mot. Et calme-toi, on te regarde, dis-je de nouveau sur la défensive.

— Je devrais te pardonner d'avoir été... bizarre ? Me traiter comme tu traites ta voiture...

— C'est un cliché ça, ma poule.

— ... me rabaisser chaque jour, me prendre pour une idiote, me regarder sans me voir, dénigrer mon métier...

— Quel métier ?

— Derek, je ne me suis jamais sentie aussi minable que depuis que je suis avec toi.

— Tu te sentais peut-être mieux quand tu essuyais les tables du Trying So Hard ?

— Voilà, voilà ce que je ne te pardonnerai jamais. Et ce que je te pardonnerai encore moins, c'est qu'aujourd'hui, je suis comme toi. Je suis aussi inconsistante, aussi superficielle, aussi égocentrique, aussi dure, aussi hautaine, aussi méchante…

— Je ne suis pas superficiel.

— Derek, ton activité préférée, c'est de compter tes ex sur Fashion TV.

— Ton activité préférée c'est de regarder qui a grossi sur Fashion TV.

— Tu gardes tes lunettes de soleil jusque dans ton bain.

— Tu te fais un brushing avant d'aller à la plage.

— Tu fais croire à tes actionnaires que George Bush t'appelle sur ta ligne directe.

— Tu m'as piqué le numéro de portable de Leonardo pour lui faire des canulars.

— Tu m'as rendue dingue, Derek, explose-t-elle et toute la Voile Rouge se retourne vers nous, délaissant pendant quelques secondes George Clooney qui fait un strip sur le bar, tu m'as rendue dingue, je suis dingue : tous les matins quand je me réveille, je mets un quart d'heure avant de me rappeler comment je m'appelle, je prends des antidépresseurs, des somnifères, des euphorisants, des anxiolytiques, des tranquillisants, JE N'AI PLUS D'ÉTAT NORMAL !

— Tu oublies la cocaïne, les amphétamines, et la mélanine, tu sais le truc qu'il y a dans tes gélules bronzantes.

— Je suis une caricature de débris de mannequin

camée, si je n'étais pas avec toi, je suis sûre que je n'intéresserais personne.

— Ceci est la première incursion de ce qu'on désigne communément par le terme « bon sens » dans cette conversation.

— Tu... as fait de moi... un monstre...

Je me tais, parce que c'est la vérité et je me rends compte que la machine est en route et trop bien lancée pour que je puisse faire quoi que ce soit pour l'arrêter, et je lui laisse une dernière chance parce que tout ce qu'elle a dit m'a touché, après tout, et si la réponse est oui à cette dernière question que je lui pose, je lui avouerai tout, lui demanderai pardon à nouveau et si elle me pardonne, si elle me pardonne vraiment, je les exaucerai ses rêves de conne, je les exaucerai pour de bon, cette fois-ci et si elle veut me quitter, elle me quittera et ce sera tant pis pour moi, tant mieux pour elle et je réussirai enfin à dormir.

— Manon, tu es amoureuse de moi, pas vrai ?

— Non...

Nous avons quitté le restaurant, regagné la mai son dans laquelle nous nous sommes soigneusement évités jusqu'à ce dernier coït dans le pool house, pendant lequel nous n'avons pas échangé un mot, juste des ordres et des baffes, puis nous sommes rentrés à Paris pour démarrer la promo.

XI

JUSTE UN QUART D'HEURE DE GLOIRE

MANON — Paris et la grisaille en moins de temps qu'il n'en faut pour le dire, hier encore à Saint-Tropez en pleine parano estivale, les élucubrations de Derek comme unique contact avec le réel, pas étonnant que j'aie pété les plombs et j'ai le vertige en repensant à hier après-midi, pendant qu'il chialait comme une fille sur la véranda en ressassant, je ne sais pas, moi, le souvenir de sa chère mère, ou de son cher père, ou de sa chère Julie et que je tenais à peine debout sur la balustrade au-dessus du vide, étrangement attirée vers le bas, la mer éclatée sur les rochers, l'idée d'en finir. Nous avons atterri à onze heures du soir et la pluie était là pour nous accueillir, une pluie chaude et lourde et j'avais l'air ridicule avec ma robe dos nu et mes cheveux pleins d'huile à côté de Derek en jean et en imper, et tout l'aéroport en jean et en imper, je me suis emmitouflée dans mon pashmina, j'ai allumé une clope dans le dernier aéroport fumeur du monde, Georges II poussait le chariot couvert de malles Vuitton, tout le monde nous regardait, comme d'habitude, et je me suis sentie de retour chez moi, et chez moi, c'était enfin Paris.

C'est en quittant le périph Porte Maillot que j'ai vu l'affiche pour la première fois. On filait dans la 600, aussi vite que la musique, *Bullet with the butterfly wing*, avec la pluie ruisselant sur les vitres teintées, Derek pendu au téléphone, aboyant je ne sais quelles insultes en russe, et on manque de crever à dix centimètres près, un virage trop rapide, la voiture patine à mort, Derek m'attrape le bras, couvre le micro du téléphone et me souffle : « Je t'aimais, tu sais » et se remet à gueuler « Dasvitania, dasvitania » dans son portable, on ne voit rien sous l'orage, juste la lumière affolée des phares et le scintillement du palais des Congrès, Georges II freine de toutes ses forces, crissement de pneus, je pense à mon père à qui je n'ai pas parlé depuis plus d'un an, je pense à mon film que je ne verrai jamais et la voiture stoppe brusquement, nous sommes en vie : « C'est un miracle ! » crie Derek, puis « Merci, Mercedes ! », puis « Repassez-moi Moscou », et là, fluorescent dans cet éclairage au néon, mon visage grossi x 10, pâle et hyper-retouché surgit de nulle part, avec mon nom en toutes lettres, et le titre du film en majuscules, et ça y est le vieux rêve est réalité, lisse et glacé sur une paroi d'Abribus, je peux le voir et le toucher, tellement réel qu'on a failli s'encastrer dedans, tellement réel, le vieux rêve, qu'il a failli nous tuer. J'ai le souffle coupé et je ne peux pas m'empêcher de rire, sous le coup d'un étrange sentiment, une satisfaction intense, un bonheur fulgurant, jusqu'à ce que je me retourne et aperçoive l'expression de consternation qui plombe les traits de Derek, son portable à terre, sa cigarette qui tremble dans sa main, tellement sa main tremble, et je dis : « Allez Georges, à l'hôtel et tâchez de ne pas nous tuer cette fois », et nous roulons en silence avenue de la Grande-Armée, puis sur les Champs, puis rue du Faubourg-Saint-Honoré, et les rues sont désertes, désertes, et mon visage est partout, mais il n'y a pas un passant pour le voir, et Paris est à moi, rien qu'à moi, puis je me dis que je m'habituerai et à cette idée, d'une longue vie semblable à cette promenade dans Paris recouvert de moi, comme une marche triomphale et silencieuse, je me sens de nouveau euphorique, et rien ne pourra de nouveau gâcher mon plaisir, même pas Derek qui tire la gueule dans son coin, parce que je sais quelle est la vie qui m'attend, et c'est celle que j'ai choisie.

Dans la vie que j'avais choisie, il faisait beau tous les jours. La chambre donnait sur la place Vendôme, par de hautes fenêtres garnies de taffetas couleur d'ambre qui laissait passer juste ce qu'il fallait de soleil pour m'éveiller sans brusquerie, je m'étirais sans fin, couchée en diagonale dans le lit immense, chiffonnant le satin des draps entre mes jambes endolories, étreignant les oreillers intacts les uns après les autres pour y chercher un peu de fraîcheur, ma montre sur la table de nuit marquait autour de neuf heures, Derek était déjà parti.

Dans la vie que j'avais choisie, c'était toujours les mêmes questions, et des compliments qui n'en étaient pas toujours, j'avais « la beauté d'une braqueuse de banque », j'étais « l'anti-élégance, mais tellement moderne, tellement début de siècle », m'étais-je bien entendu avec monsieur Karénine, je mentais : « oui », avais-je succombé au charme d'Adrien Brody, je ne mentais pas : « non », m'étais-je bien entendue avec l'équipe du film, je mentais : « oui », étais-je satisfaite de mon travail, j'étais on ne peut plus satisfaite de mon travail, mais pour leur faire plaisir, je disais que j'étais une perfectionniste, une éternelle insatisfaite, comment faisais-je pour être aussi mince ? « Il faut croire que c'est naturel, je peux manger n'importe quoi sans grossir, je suis comme ça », avais-je répondu avec mon plus charmant sourire confus à cette grosse journaliste de féminin, sanglée dans sa jupe droite en 38. Je connaissais mon baratin par cœur, à la virgule et à la minute près, car tous ces journalistes, non contents de tous poser les mêmes questions, les posaient exactement dans le même ordre, et parfois, je me laissais distraire, par exemple je regardais

Fashion TV par-dessus leur tête, au cas où un modèle m'aurait échappé, et j'étais brusquement rappelée à l'ordre par un coup de coude dans les côtes d'Emma, ma peste d'attachée de presse, m'enjoignant de répondre à des questions sans queue ni tête et aussi poliment formulées que : « Etes-vous avec Derek Delano pour son argent ? » Je répondais : « Non. » « Etes-vous avec Derek Delano pour réussir dans le métier ? » Je répondais : « Non. » Emma m'empêchait de foutre ces malotrus à la porte sous prétexte que ce n'était pas bon pour mon image, et j'y tenais, à mon image. Parfois on essayait de me piéger : « Etes-vous avec Derek Delano pour son argent ou pour réussir dans le métier ? » Et je déjouais admirablement le piège en répondant : « Ni l'un, ni l'autre. » Parfois, entre deux questions idiotes : « Quel est votre film préféré ? », « *La Boum* », et : « Quels sont vos secrets de beauté ? », « Une vie saine et les produits Harvey Nichols », on m'assenait un : « Vous êtes-vous tapé Adrien Brody pendant le tournage ? », et indignée, je répondais : « NON ! », et en partant le type s'était retourné, avait sorti un papier de sa poche et m'avait dit : « Au fait, qu'est-ce que vous voulez pour votre anniversaire ? » et j'avais répondu : « Un jacuzzi Lascala, avec un écran plasma dedans, au revoir », puis je lui avais claqué la porte au nez pendant qu'il notait. Je n'y comprenais rien. Les journalistes étaient cinglés, au moins aussi cinglés que Derek.

— Si vous n'aimez pas les journalistes, changez de métier, m'avait dit Emma.

— Si vous ne la fermez pas, je ne sais pas si vous changerez de métier, mais en tout cas, vous changerez d'employeur.

C'était une époque étrange, une ère nouvelle, mon ère : j'étais partout. « Ton quart d'heure de gloire, c'était ce que tu voulais », me disait Derek. A cette époque, les foules ne se préoccupaient que de deux choses, la première, c'était moi-même, et la seconde, c'était la résurrection de Kurt, retrouvé errant dans les rues de New York par un marionnettiste au chômage, Kurt était tuberculeux, amnésique, diminué, il ne pouvait plus se servir d'une guitare, mais c'était bien lui, Kurt Cobain, ma vieille idole, et j'avais son numéro de portable.

On passait à la télé côte à côte, on se partageait les covers et les pages centrales, les kiosques à journaux croulaient sous nos visages, on déjeunait ensemble au Costes ou au Plaza, où il dormait, les gens nous regardaient d'un drôle d'air, il me faisait des confidences. Le début de l'enquête avait révélé que sa mort n'était qu'une mise en scène de sa femme pour toucher le pactole, il buvait beaucoup de whisky, il s'entendait bien avec Derek, je faisais de gros progrès en anglais.

A cette époque, chaque fois que je traversais Paris, j'avais le vertige en voyant les affiches. Ce visage qui était le mien, cette part de moi-même que j'avais abandonnée, tous ces regards que je ne pouvais pas contrôler. Ça me faisait presque peur. C'étaient surtout mes yeux qui me faisaient peur sur l'affiche, mes yeux noyés de khôl, retouchés, presque transparents, droits sur l'objectif et qui vous suivaient partout, où que vous soyez, qui me suivaient partout, où que je sois. Toute la journée, pendant les embouteillages, mes propres yeux me fixaient de tous les arrêts de bus, de tous les cinémas, de tous les panneaux de Paris, moi, je me planquais dans la voiture, chapeau, lunettes et vitres teintées, tentant d'échapper aux regards, tentant d'échapper à mon propre regard, là-haut, en pleine lumière, je ne pouvais plus me sacquer, je baissais les yeux, et je tombais sur la couverture de *Elle*, je tombais sur la couverture de *Studio*, je tombais sur la couverture de *Match*, sur ma pub Vuitton, sur le catalogue Vuitton, sur des compos éparpillés, sur des portraits amateurs de Derek et moi au 55 à Saint-Tropez, sur de vieilles planches-contacts, sur mon book ouvert, et je relevais la tête, la nuit était tombée, et ce que je voyais confusément sur la vitre vert sombre, presque noire, c'était mon reflet, cette chose grotesque et flippée avec ses lunettes de soleil dans l'obscurité, c'était mon reflet qui ne m'appartenait plus.

On me suivait souvent, on suivait la voiture, et quand il m'arrivait de descendre simplement parce que j'étouffais, pour prendre l'air, pour aller acheter moi-même des cigarettes, l'importun descendait de scooter et accélérait le pas, il m'interpellait derrière mon épaule, sautillant pour entrapercevoir mon profil, pour vérifier que oui, c'était bien moi, et me disait : « Eh, eh, c'est vous, hein ? », je répondais : « Non, vous devez faire erreur », et d'autres passants se retournaient, et me reconnaissaient, et c'était généralement à ce moment que je me retrouvais nez à nez avec moi-même sur une paroi d'Abribus et l'importun, pas embarrassé pour un sou, se mettait à ricaner : « Je le savais, je vous ai vue à la télé », et je disais : « Eh ouais, c'est moi, et qu'est-ce que ça peut bien vous foutre ? », et le type me répondait : « Eh, c'est comme ça que tu parles à ton public, connasse ? », alors je montais rapidement dans la bagnole et j'envoyais Mirko acheter des clopes au tabac d'après. Je fuyais la rue et les bains de foule, mais à l'hôtel, ce n'était pas mieux. Oh, on ne se jetait pas sur moi, mais c'était pire en fait, ces regards en coin, fixes, ces remarques qu'on ne se donnait même pas la peine de faire à voix basse.

— Oh, vous avez vu ce qu'elle est maigre !

— Elle est camée.

— Anorexique.

— Malade.

— Fais pas attention, ma poule.

— Derek ? As-tu déjà remarqué qu'on ne se permet de montrer du doigt que les choses, les chiens, et les gens connus ?

— Tu oublies les criminels de guerre, chérie.

— Eh bien quoi ? C'est parce qu'ils sont connus, non ?

Derek avait l'habitude. Moi pas. Et pourtant, je ne peux pas dire que j'étais malheureuse. Parfois je pensais à Terminus, à mes nuits blanches à la fenêtre, quand je contemplais la place du village, inerte sous l'éclairage jaunâtre, avec la faim qui m'étreignait le ventre. J'entendais comme en rêve cet air de Legrand que j'écoutais en boucle, avec la voix qui s'éraillait aux endroits où la bande était usée, le piano grêle, si bas, que je le devinais plutôt que je ne l'entendais. Je me voyais comme si j'étais quelqu'un d'autre, comme si c'était un film, je voyais ma silhouette, mon visage qui n'avait jamais connu le maquillage, j'étais brune encore à l'époque, j'avais figure humaine, et pas ces lèvres archi-gonflées et ces joues creuses de malade, j'avais les yeux lumineux d'illusions. Gros plan sur mon visage, je jette ma clope, plan sur la clope qui éclate sur le sol dans une gerbe d'étincelles rougeoyantes, on revient sur moi, et puis on s'éloigne, on ne voit plus que ma silhouette encadrée dans la fenêtre, le travelling arrière continue, on voit maintenant toute ma vieille baraque, et toujours moi, rien qu'une ombre qui se découpe, et qui devient de plus en plus petite, le ciel entre dans le champ, je suis imperceptible, infinitésimale, à ma stupide fenêtre : rien qu'une conne qui rêve sous les étoiles. NOIR.

Séquence suivante, il n'y a plus d'étoiles, et la conne a fini de rêver. Elle se bourre de cachets contre le stress à l'arrière d'une Mercedes. La voilà, la petite de Terminus, la petite provinciale dont tout le monde se moquait, qui se faisait dépuceler dans les piscines par des estivants efféminés débiles qui se permettaient de la laisser tomber pour des pouffes snobs par-dessus le marché, qui se bouffait les jointures devant Saga, qui enviait tout et tout le monde, jusqu'aux connasses de la Star Ac', certains jours, elle n'avait même pas assez de fric pour s'acheter des clopes, elle fumait ses mégots avec une grimace de dégoût, elle fumait ses mégots jusqu'au filtre, la voilà la petite serveuse du Trying So Hard, qui nettoyait les chiottes, qui se bousillait les mains dans l'eau de vaisselle, qu'on regardait de haut, du haut d'une chaise alors qu'elle était debout, qu'on insultait quand c'était trop chaud, trop froid, trop lent, à qui on laissait par pitié quelques malheureux euros de pourboire, mais elle ne sera plus jamais debout, la petite serveuse, plus jamais debout, pour personne, et elle emmerde la terre entière, du haut de tout ce qu'elle a gagné, avec ses montages de fric et tout ce désir qu'elle suscite, elle va à sa conférence de presse, la petite clocharde, la petite provinciale, la petite serveuse, dans sa grosse bagnole climatisée qu'elle n'a même pas à conduire, pendant que son assistante lui lime les ongles et qu'un gros baraqué surveille d'un œil mauvais les érotomanes potentiels, elle regarde son visage aussi grand qu'un immeuble, translucide comme un idéal, de chaque côté de la route, et elle boit comme un trou, pour oublier qu'elle s'est trompée de rêve.

— Allez, avance avec ta poubelle ! Avance, putain, je vais être en retard ! Avance, connard de Marseillais ! Putain de priorité à droite ! Défoncez-lui sa caisse Georges, Derek paiera les réparations ! Georges, rentrez-lui dedans, nom de Dieu, on s'en fout, la voiture est blindée ! Assassinons ce stupide vieillard enfin ! Ça fait un quart d'heure qu'il nous bloque !

— Ça ne va pas être possible, madame.

— Putain de priorité à droite ! Est-ce que quelqu'un dans cette voiture peut me dire *qui* a écrit ce putain de code de la route à la con ? Hein ? Que j'aille cracher sur sa tombe dès que ce sera un peu dégagé !

— C'est bouché, madame, il faut faire demi-tour.

— Personne ne fait demi-tour, per-son-ne-ne-fait-demi-tour ! Je dois être à Saint-Germain dans... dans... Je devrais être à Saint-Germain depuis une bonne demi-heure, tous les journalistes de cette ville sont en train de m'attendre, ainsi que monsieur Adrien Brody, monsieur Karénine, et monsieur Derek Delano, votre *patron* à tous, j'ai des responsabilités, figurez-vous, j'ai un film à promouvoir, je ne suis pas là pour visiter ! Alors on ne fait pas demi-tour, on carambole la poubelle de cet énergumène et on trace dans le couloir de bus, sinon c'est la porte pour tout le monde, c'est bien clair ?

— Je ne tiens pas à aller en prison, madame.

— Et moi, je ne tiens pas à être en *retard* !

— Il y a des policiers partout, madame !

— Moi aussi je suis partout, Georges ! Regardez, je suis partout ! Et est-ce que je fais chier le monde ?

Je lui désigne l'affiche du film sur l'Abribus à gauche, sur le panneau de pub devant l'Assemblée nationale, sur le kiosque à journaux en couverture de *Studio*, mon visage par Richard Avedon sur le *Elle* que je tiens à la main, sur le bus aussi qui file à toute allure, lui, dans le couloir prévu à cet effet et je crie :

— Suivez ce bus !

— On n'est pas dans un mauvais film de poursuite hollywoodien, rétorque Derek, et je suis prise de panique parce que Derek n'est *pas* dans cette voiture, il m'attend à Saint-Germain, avec Karénine, Adrien Brody, et les journalistes énervés.

— Ma vie est un mauvais film hollywoodien, dis-je, et Derek, où t'es-tu caché, je t'entends mais je ne te vois pas ?

— Manon, tu es défoncée.

— Non.

— Si.

— Non.

— Si tu n'étais pas défoncée, tu te souviendrais de cette invention révolutionnaire : le téléphone. Et de cette autre invention révolutionnaire : le haut-parleur. Espèce d'idiote.

Je rêve ou j'ai entendu mon attachée de presse pouffer ?

— Derek chéri, dis-je, Emma se moque de moi, il faut la virer.

Je tends une bouteille de champagne à Mirko pour qu'il la débouche car je sens que mes nerfs vont lâcher dans une seconde.

— Personne n'est viré, gueule Derek, tu as épuisé ton crédit de licenciement d'attachées de presse. Tu te tais et tu te dépêches, on t'attend !

— Quelle autorité, mon chou, dis-je en tendant ma coupe à Mirko.

— Je rêve ou je viens d'entendre un bouchon de champagne sauter ?

— Pas du tout, c'est Mirko. Il vient d'abattre un flic qui lui demandait ses papiers.

— Manon, je t'ai prévenue : plus d'alcool avant les conférences de presse sinon la semaine prochaine, tu feras Paris-New York en charter sur une sortie de secours, avec les obèses et les femmes enceintes, capiche ?

— Derek. Salaud. Est-ce que tu as la moindre idée de la pression que je subis ? Je ne peux même plus me regarder dans un miroir tellement je ne supporte plus ma gueule. J'ai quarante interviews par jour, ma vie sexuelle étalée à la face du monde...

— Je te signale que c'est également *ma* vie sexuelle et que c'est toi qui as tout balancé à *Vogue* parce que tu as confondu tes calmants avec tes Stilnox.

— Ça va, toi aussi, tu es accro aux Stilnox !

— Ouais, ma poule, seulement moi ça me fait dormir, toi ça te donne une irrépressible envie de militer en faveur de la démocratisation des ceintures-godes pour l'épanouissement sexuel des ménages.

— Mon public a le droit de savoir !

— Ah oui, n'empêche qu'hier soir à la projection presse, dix-sept personnes m'ont demandé si j'aimais me faire enculer et Stéphane B me regardait d'un drôle d'air...

— Enfin, Derek, tu n'as qu'à pas inviter ce sinistre individu à tes projections, que veux-tu que je te dise ?

— Manon, tout ce que je te demande, c'est de te souvenir de ton prénom quand tu arriveras à la conférence.

— Je n'ai qu'à... ouvrir les journaux pour ça !

— C'est ça, fais la maligne, pauvre cloche. Ça tourne un malheureux long métrage et ça se prend déjà pour une rockstar. Je ne donne pas un kopeck de ta carrière à venir. Valérie Kaprisky, ça te dit quelque chose ?

— Qui est-ce, Valérie Kaprisky ?

— Mais laisse-la, cette alcoolique, intervient Mirko, qu'elle se l'envoie son litron et elle arrêtera de nous casser les couilles !

— T'as raison, répond Derek.

— T'es viré, gémis-je.

— Personne n'est viré, dit Derek.

— Manon, téléphone, interrompt Emma, c'est *Paris-Match*, ils voudraient vous poser quelques questions.

— Eh bien qu'ils achètent le *Elle* de cette semaine et qu'ils recopient l'article ! Ou le *Vogue*, ou le *Gala* ou le *GQ* portugais ou les *Inrocks*, ou le *Rolling Stones* ou *Esquire* ou le *Vanity Fair !* Mais qu'ils me foutent la paix !

— Manon, arrête un peu de filtrer *Paris-Match*. Réponds à *Paris-Match*. S'il te plaît.

— Ils ont passé une photo de moi où j'avais un bourrelet ! Hein qu'est-ce que tu dis de ça ? Ce n'est pas tolérable, je n'ai pas à le tolérer, je ne le tolérerai pas !

— Manon, tu prends *Match* et tu réponds à leurs questions mais si tu prononces le mot ceinture-gode, c'est le charter sur United.

— Nan ! J'en ai marre des questions ! Le tournage s'est bien passé ? Vous vous êtes bien entendue avec vos petits camarades ? Quel effet ça fait d'être dirigée par Karénine ? Vous vous êtes sentie proche de votre personnage ? Tu sais combien de fois j'ai répété ça, hein, tu sais ?

— Vous pourriez retirer vos griffes de mon bras, madame, je conduis et c'est légèrement embarrassant pour passer les vitesses.

— Insolent ! Tu es viré !

— Personne n'est viré, répète Derek, et cesse de griffer Georges, il conduit.

— Derek, il faut enfermer cette folle et lui administrer le knout.

— Merci Mirko, mais ce n'est pas la peine pour l'instant.

— C'est quoi le knout ?

— C'est le fouet russe dont on se servait pour châtier les criminels, répond Derek, toujours serviable quand il s'agit de donner un renseignement.

— Ah, dis-je, avant de vider le contenu de ma coupe sur le costume blanc de Mirko, salaud !

— Salope, hurle-t-il, je te ferais passer le goût du pain si tu ne sodomisais pas mon boss avec un gode ceinture...

— Mirko, tu es viré, dit Derek

— Personne n'est viré, rétorqué-je, Mirko a raison.

— Mirko a tout simplement envie de te tuer.

— Manon, Réservoir Prod au téléphone !

— J'emmerde Réservoir Prod, qu'ils aillent se faire foutre !

— Manon D vous emmerde, cher monsieur,

allez donc vous faire foutre, transmet fidèlement Emma.

Je lui arrache le téléphone :

— Bonjour, c'est Manon D, excusez la grossièreté de mon attachée de presse, elle vit très mal son changement de sexe.

— Mais qu'est-ce qu'elle raconte, encore, gémit Derek, je suis navré Emma.

— Cette fois-ci c'est le bouquet, s'énerve Emma, en quinze ans de métier j'en ai vu défiler des salopes, mais des comme ça, jamais.

— Le knout, je vous dis ! Le knout s'impose.

— Oui bon, ça va tous les deux, cette personne portera peut-être mes enfants un jour alors modérez votre langage.

— Oui, oui, poursuis-je, il y a encore quinze jours, elle s'appelait Roberto et filait le parfait amour avec un trapéziste... C'est ça, le grand classique du justaucorps moulant... Il fallait la voir, la Emma, sur sa Harley, avec ses rouflaquettes...

Emma saute hors de la voiture en marche.

— Voilà, du beau boulot, cette connasse ne fera plus chier personne, dis-je en raccrochant à la gueule du stagiaire au moment où nous arrivons devant l'hôtel de Karénine avec exactement cinquante-trois minutes de retard.

Et cette satanée conférence de presse a commencé sans même que j'aie eu le temps d'avaler un café, Derek, Karénine et Adrien furent d'un professionnalisme à toute épreuve, et moi d'une fumisterie révolutionnaire, Derek avait envie de me tuer et je le lui rendais bien. A la question : « Pour votre premier rôle au cinéma, vous avez la chance de travailler avec Karénine, avez-vous conscience de votre chance », j'ai répondu : « Pour mon premier rôle au cinéma, j'aurais espéré mieux que de me faire insulter toute la journée sur un plateau crasseux par un vieux con dont le rêve le plus cher est de se réincarner en clef de sol », à la question « Que pensez-vous de Tchekhov ? », j'ai répondu, « Rien, simplement, qu'il est décédé et ne nous emmerdera plus avec ses pièces prise de tête », à la question « Vous êtes vous sentie proche de votre personnage », j'ai répondu, « Trois différences flagrantes entre Nina et moi : d'une, je ne suis pas une actrice ratée, la preuve. Deux, je suis pétée de thunes. Trois, je me lave les cheveux ». A la question vous êtes vous bien entendue avec l'équipe, j'ai répondu que la maquilleuse me battait, puis Karénine s'est levé et a quitté la conférence au bord de l'infarctus, et pendant que toute l'assemblée s'acharnait à photographier sa sortie furax et ma propre personne secouée d'une hilarité jubilatoire, j'ai saisi le micro et ai hurlé : « N'oubliez pas de préciser que je suis alcoolique et que j'ai tout tourné bourrée, n'oubliez pas de préciser que ce cinglé de Karénine a massacré deux cent quatorze porte-voix en huit semaines, que le producteur allait aux putes à Rome tous les soirs, et surtout, surtout, n'oubliez pas de préciser que ce film est une merde, le film le plus nul que vous ne verrez jamais, la plus grosse merde jamais tournée, et surtout, surtout n'oubliez pas d'aller tous vous faire foutre, bande de journalistes ! »

Puis on m'a évacuée, ainsi que la salle, et s'est achevée cette conférence de presse, et pendant que Mirko me traînait dehors, je ne pouvais plus m'arrêter de rire, je riais tellement fort qu'on aurait dit que je hurlais, qu'on aurait dit que je pleurais et d'ailleurs, j'avais les larmes aux yeux, plus que les larmes aux yeux, une fontaine de larmes, tellement je riais, et mes hoquets sonnaient comme des sanglots, et c'était tellement drôle, tellement drôle, qu'il a fallu que Derek me mette une claque pour que je m'arrête et même avec ça je n'ai pas pu m'arrêter, tout mon corps riait, et j'étais allongée sur le sol, et mes bras et mes jambes tressautaient, et j'étais secouée, secouée, je ne savais même plus pourquoi je riais, je ne savais même plus que j'étais en train de rire, Derek me tenait les bras et Mirko les jambes, et j'ai entendu je ne sais plus qui, peut-être Georges, appeler les pompiers, et il y avait du sang par terre, là où j'étais tombée, et je n'arrivais plus à respirer et puis, rien.

XII

INTERMISSION

DEREK — C'était un bien vilain monde. Je ne sortais plus de chez moi. J'étais un peu comme Michael Jackson.

J'étais encore en pleine révolte, en pleine post-adolescence énervée. J'étais un peu comme Eminem.

Je m'isolais, là-haut, dans ma tour d'ivoire. Un peu comme un poète maudit.

Dans ce monde-là, les ressources naturelles de beauté avaient été épuisées. On vivait sur des restes. Moi, je ne lisais que des morts, je n'écoutais que des morts, ou des mourants. Certains d'entre eux se croyaient en pleine santé, ils ignoraient qu'ils étaient mourants. Puisqu'ils n'existaient que par le regard des autres, après tout. Et ces autres préféraient regarder la télé. Et pas Ciné Cinéma d'auteur.

Dans ce monde, des millions d'êtres, relativement normaux, donc plutôt laids et plutôt bêtes, comme le veut la norme, revendiquaient leur droit d'aller montrer leur laideur et leur bêtise à des mil lions d'autres êtres laids et bêtes, qui se délectaient du pathétique de leurs semblables, ignorant qu'en fait d'écran, il n'y avait qu'un miroir. On paierait le miroir en vingt-quatre mensualités, et pour éviter de trop se serrer la ceinture, on contracterait un prêt, pour rembourser le crédit, et peut-être un autre prêt, pour rembourser le premier. Puis, quand on aurait les huissiers au cul, on passerait de l'autre côté du miroir, pour aller témoigner.

Le témoignage, mal du siècle parmi d'autres. On témoignerait contre la société, parce qu'après tout, c'est vrai que c'est inadmissible que cette société, responsable d'à peu près tous les maux aujourd'hui, vienne réclamer ce qu'elle a prêté. Qu'elle vienne démunir des familles d'honnêtes travailleurs, avec tous ces morveux à charge, QU'ELLE VIENNE LEUR VOLER LEUR HOME CINÉMA ! Hou, la société !

Il paraît que c'est le choix de certains de ne pas se brosser les dents plus d'une ou deux fois par mois. D'autres apprennent d'incroyables vérités métaphysiques de la bouche même de leurs animaux de compagnie. Leurs chiens et leurs chats leur parlent, mais à vous, monsieur le présentateur, ils ne diront rien, ils ne vous connaissent pas, ils sont intimidés par tout ce bruit, les techniciens, le public, tout à l'heure dans les loges, Lulu s'est lâchée au point d'aller raconter à la maquilleuse a quel point ç'a éte atroce le jour où sa mère s'est fait descendre par un chasseur dans une verte prairie normande. Lisez son livre, elle l'a écrit alors que ce n'était qu'un chiot, c'est un peu la psychanalyse de ce triste événement... Non, non elle ne l'a pas tapé elle-même sur son I-Book écran treize pouces, elle me l'a dicté car nous communiquons par télépathie...

Le présentateur pose très sérieusement ses questions. D'une part, il tient à son audience, d'autre part, les allumés, ça le connaît, il en a vu d'autres. Il coupera son fou rire au montage. C'est un être abject, mais à la rigueur, il est du côté des vainqueurs, on ne peut pas se foutre de sa gueule. La question posée est la suivante. Dans un monde où le regard blesse plus profondément que tout, pourquoi aller se suicider ?

Dans ce monde-là, on se suicidait tous les jours.

On allait raconter son viol, exhiber ses seins lacérés par un chirurgien esthétique peu scrupuleux, vendre un produit. Les visages floutés étaient passés de mode. On avait voulu se faire refaire les seins pour ressembler un peu plus à une vulgaire petite créature de clip, on s'était fait violer parce qu'on ressemblait un peu trop à une vulgaire petite créature de clip. Etait-ce la télé qui faisait le con, ou le con qui faisait la télé ? On pouvait tester son couple à déjeuner, et son inculture à dîner. Des gamines de huit ans voulaient être sexy. D'autres n'avaient trouvé pour se faire remarquer que de revendiquer leur droit de porter le voile au lycée. Finalement, à l'école, on a bel et bien interdit le port du voile, et celui du string, aussi.

Il y avait comme un problème, disons d'identité.

Les jeunes étaient paumés et tout était ringard. Travailler était ringard. Porter un pantalon à la taille était ringard, il fallait traîner les pieds et montrer son calebard. Aller à l'école était ringard. C'était chiant en plus, et les profs étaient des sales cons. Quand ils le pouvaient, les jeunes allaient manifester contre l'Education nationale, ils ne savaient pas très bien pourquoi ils manifestaient, et pour obtenir quoi, mais ils manifestaient. Bien entendu, l'autorité parentale vivait de bien mauvais jours, c'était l'incarnation même du ringard. Et quand les deux pauvres choses dépassées par les événements qu'étaient les parents du jeune tentaient de faire entendre à leur progéniture la Voix de la raison (raison = ringard), via une admonestation bien sentie tournant autour des thèmes de l'avenir et de la complexité du marché du travail pour les jeunes non diplômés avec le futal sur les talons et l'esprit quelque peu amolli par les abus de marijuana, le jeune, dessous sa casquette à l'effigie du Che Guevara (il ignorait qui était exactement le Che Guevara, mais le Che Guevara était cool), le jeune donc, aboyait un : « Mouarfhgeueue », et allait s'enfermer dans sa chambre car la Star Academy commençait.

Le début du XXIe siècle vit l'avènement d'une utopie nouvelle, l'utopie du : « Toi aussi, tu peux le faire », mauvais dérivé du concept de méritocratie, la méritocratie postulant que seuls les mérites d'un individu déterminent ses chances de réussite dans un monde où tout le monde a la possibilité d'aller à l'école et l'obligation de payer des impôts, etc. De ceci, l'utopie du « Toi aussi, tu peux le faire » avait conservé l'idée des mêmes chances dans la vie pour tout individu, mais en avait zappé l'idée de mérite. Léger oubli. De toute façon, le jeune n'avait pas envie d'aller à l'école. Il ne comptait pas non plus payer ses impôts.

Lui aussi pouvait le faire, et qu'est-ce qu'il voulait faire, le jeune ?

Il voulait chanter.

A l'époque, une insidieuse question torturait depuis un bon bout de temps les grands décisionnaires de l'industrie du disque : « Pourquoi s'épuiser à bien faire, quand on peut aussi bien faire de la merde ? »

La musique était un art, un art magnifique, le plus immédiat, le plus accessible.

L'art était compliqué, il demandait talent et investissement. L'art était une quête éperdue. Il impliquait souffrance, rage, haine. Il impliquait l'artiste, cette race maudite. Au siècle dernier, les artistes cassaient tout dans les chambres d'hôtel et se suicidaient pour des raisons obscures. Au siècle d'avant, ils s'automutilaient. Ils s'étaient toujours mêlés de ce qui ne les regardait pas, la politique par exemple. Ils prenaient des drogues. Les artistes étaient des casse-couilles. On ne pouvait rien y faire : c'était ce qui faisait d'eux des artistes qui en faisait des casse-couilles.

Il fallait les supporter, les subir, les ménager, les flatter, les réconforter, ils étaient sans arrêt « dans le doute », après trois malheureux succès, ils n'arrivaient plus à rien, leurs femmes se tiraient, il fallait les rattraper, etc. Et encore, s'ils s'étaient avérés valeurs sûres, une fois lancés, lancés pour toujours, une fois lucratifs, lucratifs à jamais ? Mais l'artiste ne se contentait pas d'être casse-couilles, il était inégal aussi. Parfois, génie tarit, et quand génie tarit, public renie. Public renie, ne comprend pas, gueule, manifeste sa déception en boycottant les disques, finit par se rabattre sur ceux du voisin.

On n'habitue pas impunément le public à la qualité. Quand la qualité faiblit : le public se tire. Et le génie incompris se venge sur le mobilier de la suite, et ça coûte cher, et pour rien en plus. Et encore faut-il qu'il y ait génie. Ça ne court pas les rues, les génies, surtout en ce moment. Et le génie, ou disons le talent, n'a jamais eu le mérite de mettre tout le monde d'accord. Il rime avec critique, controverse, rejet même.

L'art était subjectif, la merde était universelle.

Il fut donc décidé, d'un commun accord, de généraliser la fabrication de merde. Tout d'abord, on convint d'éviter les auteurs : les auteurs faisaient chier, ils étaient obsédés par l'idée de faire passer des messages dont tout le monde se foutait. On sectorisa la production : toi tu composes, toi, tu écris, toi, tu chantes, toi, tu danses : et le premier qui tente de l'ouvrir, c'est la porte. Dans des bureaux parisiens qui ressemblaient à des usines, des paroliers qui ressemblaient à des fonctionnaires écrivaient des chansons qui ne ressemblaient à rien.

Le mot d'ordre était platitude. Le mot d'ordre était indigence. Le mot d'ordre était identification. Rien ne devait dépasser. Personne ne devait sortir du lot. Les chanteuses à voix devaient être moches et débiles, les créatures de clips devaient être vulgaires et débiles. Elles au moins couraient les rues. Les chanteurs devaient ressembler aux chanteuses et être débiles. D'une manière générale, tout le monde devait être débile, ça simplifiait les rapports humains.

On obtint une merde d'une nullité réjouissante. Elle atteignit sans mal ses objectifs en abrutissant du même coup trois générations de consommateurs. Les petites filles entre six et douze ans furent les plus gravement touchées, suivaient les adolescents des deux sexes, puis les jeunes femmes fleur bleue aux capacités mentales limitées. C'était bien, mais ce n'était pas suffisant.

La presse grondait, l'intelligentsia, les gens de goût dont la race ne s'était pas tout à fait éteinte. Ça faisait du bruit, ça n'achetait pas les disques.

On se dit que tout jugement était comparatif. On décida d'annihiler la comparaison. Plus d'élément de comparaison : plus de jugement. Plus de jugement : l'unanimité.

On retira la musique classique du marché. La musique classique était démodée, hermétique, chiante. On vida les bacs. On pilonna les stocks. On incendia les conservatoires. On flingua les pianistes. On offrit de racheter à prix d'or les stocks des particuliers, les particuliers rapportèrent leurs disques. On les pilonna aussi.

Puis ce fut au tour du rock, du jazz et des bandes originales de films.

Puis comme on supprimait les bandes originales de films, on décida de supprimer les films aussi. Le cinéma était un art : c'était une usine à casse-couilles. Il touchait un monde fou, et certains films, parfois, avaient le don agaçant de réinjecter certaines idées, dont l'idée de beauté dans les esprits qu'on avait eu du mal à engourdir. Heureusement, c'était la télé qui finançait le cinéma, et la télé était avec nous. La télé envoya le cinéma au diable et sa bande de casse-couilles avec. A sa place, dans les salles, on diffusa des clips, des pubs, des sitcoms et des émissions de real TV. On retira les DVD des bacs. On pilonna les stocks. On flingua les comédiens qui ne voulaient pas se reconvertir en chanteurs débiles. On flingua les réalisateurs qui refusaient de tourner des sitcoms. On offrit de racheter à prix d'or les stocks de cassettes et de DVD des particuliers. Les particuliers rapportèrent leurs stocks. On les pilonna aussi.

On ferma les musées.

On laissa les livres tranquilles : ça faisait belle lurette que plus personne ne les lisait.

On fit beaucoup, beaucoup, beaucoup de fric. On fit plus que du fric : on pacifia le monde. Plus de films violents : plus de violence. Plus de chansons tristes : plus de tristesse. Plus de rock'n roll : plus de drogues. Au lieu de ça, les jeunes voulaient chanter. Que c'était mignon. On avait suscité la vocation de toute une génération. On était presque des prophètes. Le monde était content, il avait même arrêté de fumer.

C'est le moment que les jeunes choisirent pour déserter les écoles. Ils descendirent dans la rue. Ils voulaient chanter, putain. Et si ces chanteuses moches et débiles pouvaient chanter semblables niaiseries en s'en foutant plein les poches et en passant à la télé en plus, pourquoi pas eux ? Ils voulaient chanter, nom de Dieu, comme tout le monde. Alors ils se mirent à chanter. Ils chantaient dans la rue, le micro à la main et l'ampli sur l'épaule, ils chantaient le plus fort possible, pour couvrir la voix du voisin. Les prostituées les rejoignirent, puis les esthéticiennes, les coiffeuses, les serveuses, les vendeuses, les secrétaires, les fleuristes, les journalistes de féminin. Elles voulaient chanter elles aussi. Ce fut le tour des garagistes, des ouvriers, des épiciers, des avocats, des mastroquets, des chefs d'entreprise, des footballeurs, des médecins, des toreros, des barmen, des pharmaciens, des facteurs, des agriculteurs, et surtout des chômeurs. Ils voulaient chanter aussi, putain. Ils chantaient dans les rues, le micro à la main et l'ampli sur l'épaule, en tentant de chanter plus fort que le voisin. Les micros étaient en vente libre. On s'en procurait facilement. On les prohiba. La population ne se laissa pas faire. Un véritable marché noir du micro se développa. Des batailles éclatèrent entre gangs rivaux, pour le monopole du trafic du micro. Dans les rues, plus personne ne chantait : pour se faire taire les uns les autres, les manifestants en étaient venus aux mains, plus qu'aux mains : aux amplis : les manifestants s'assommaient à coups d'ampli. Il y eut des morts. Le monde n'était plus que violence. On l'avait trop abruti de sitcoms, de clips, de variét' de merde. La merde n'était que sensations faciles. « On n'obtient rien de bon à inonder le monde de sensations faciles, alors qu'il a besoin de sensations fortes » avait gémi un manifestant avant de décéder, lapidé à coups d'ampli. Plus tard, on découvrit que cet homme était l'un des principaux leaders d'un groupuscule velléitaire qui campait dans les égouts et dont l'activité principale consistait à cambrioler les entrepôts où l'on avait planqué les derniers exem plaires restants des disques et des films interdits, puis à les compresser pour les redistribuer sous le manteau. Les révolutionnaires marchèrent sur le siège social d'une radio nationale qu'ils prirent d'assaut. Pendant quelques minutes, avant d'être maîtrisés par les forces compétentes, puis exterminés, ils eurent le temps de pirater les ondes et de diffuser l'intégralité de la *Symphonie n° 6* de Ludwig van Beethoven. Sans vraiment savoir pourquoi, le monde entier, devant son poste, s'était mis à pleurer. Il y avait de quoi : plus personne n'avait rien à bouffer, car les agriculteurs chantaient, les transports ne fonctionnaient plus, car les conducteurs chantaient, les commerces étaient fermés, car les commerçants chantaient. La grippe était mortelle, puisqu'il n'y avait plus personne pour la soigner. La monnaie se dévalua. On ne put recourir au troc, puisqu'il n'y avait plus rien à troquer. La violence redoubla : il n'était plus question de chansons, il était question de survie. Dans les rues à feu et à sang, il n'y eut bientôt plus personne pour chanter. Derniers vestiges de la civilisation, la télévision et la radio cessèrent d'émettre : le monde prit fin dans un grésillement.

XIII

ET SI TOUT ÇA...

MANON — « Réveillez-vous ! Réveillez-vous ! »

J'ai une barre dans le crâne comme si j'avais trop bu, et je vois flou comme si j'avais de l'eau plein les yeux, je suis dans ma chambre au Ritz, il doit être midi, et tout semble à peu près normal – réveil tardif, gueule de bois, envie de tout casser comme à chaque réveil tardif où j'ai la gueule de bois –, tout semble à peu près normal, dis-je, si ce n'est ce type en livrée qui me secoue comme une chose, et en hurlant en plus, comme s'il n'était pas au courant que j'en ai fait remercier pour moins que ça.

— Réveillez-vous ! Ho ! Vous m'entendez mademoiselle ?

— Eh, vire tes sales pattes de là, minable, qui t'a permis d'entrer ? Je dors !

— Qui *vous* a permis d'entrer ?

— Pardon ?

— Oui, qui vous a permis d'entrer ? Qu'est-ce

que ça veut dire ? C'est un hôtel, ici, mademoiselle, pas un moulin !

— Ah oui ? Sans déconner ? C'est drôle, j'aurais juré apercevoir des ailes sur le toit, des ailes battant au vent.

— Des… des ailes… vous avez aperçu des ailes… ?

— Oui, parfaitement, des ailes, connard. Maintenant casse-toi, laisse-moi dormir.

— Mais mademoiselle…

— Quoi encore ? Ne t'inquiète pas, je n'irai pas me plaindre de ton excès de zèle au directeur, je n'ai pas envie d'avoir un autre licenciement de père de famille sur la conscience. Allez va-t'en.

— Mademoiselle, je suis navré… Il doit y avoir un malentendu. George Clooney et sa petite amie top model dont je ne peux vous révéler l'identité arrivent à quinze heures pile. Vous êtes dans *leur* suite. Vous n'avez rien à faire ici. La femme de chambre m'a prévenu de la présence de mademoiselle. Je suis chargé de vous sortir. Et si vous résistez…

— Hein ? Qu'est-ce que c'est que ces conneries ? Si la reine d'Angleterre est top model, moi, je suis la reine d'Angleterre.

— … je suis chargé d'employer… la force.

— Quoi ? Si c'est une blague, elle est de très mauvais goût.

— Je regrette, mademoiselle.

— Vous savez qui je suis ?

— Je regrette, je n'ai pas l'honneur de...

— Où est Derek ?

— Où est... ? Je ne vois pas de qui vous voulez parler.

— Derek Delano, crétin. Tourne-toi. Tourne-toi !

Je cherche le peignoir que je laisse toujours en boule au pied du lit. Il n'y est pas.

— Comment tu t'appelles ? je demande au garçon.

— Ernest.

— Ernest, si tu allais me chercher un peignoir dans la salle de bain ?

— Oui, madame, simplement, vous vous habillerez et vous partirez, n'est-ce pas ?

C'est évidemment une mauvaise blague de cet imbécile de Derek, qui ne sait plus quoi faire pour éviter à notre couple de sombrer dans la routine, et ce pauvre garçon d'étage innocent n'est absolument pas dans le coup si j'en juge de sa mine perplexe et contrite. Il me prend vraiment pour une sorte de prostituée paumée sans domicile fixe, pour un peu, il me proposerait de m'héberger jusqu'à ce que je me déniche un logement social et un emploi.

— Tenez, madame.

Je m'enveloppe du peignoir et me dirige vers le dressing.

— Venez voir, si je ne suis pas ici dans ma chambre. Il y a tous mes vêtements, dans ce dressing.

J'entre dans le dressing et il est aussi vide que le VIIIe un jour férié, pas une robe, pas un escarpin, et dans le compartiment d'en face, les costards Dolce de Derek se sont aussi fait la malle. Il n'y a plus rien, rien que des cintres au chiffre du Ritz qui se balancent en tintinnabulant dans le désert.

— Bien Ernest, dis-je, passons à la salle de bain.

— Il n'y a rien non plus, dans la salle de bain, madame, j'en viens.

— Mes crèmes La Prairie, je m'exclame, et je cours dans la salle de bain, et il n'y a plus rien, non plus ; ni mes crèmes La Prairie, ni la caisse de produits Harvey Nichols dont je ne me suis jamais servi, ni le rasoir de Derek, ni peigne, ni brosse, ni même mon sèche-cheveux, ni ma valise de maquillage, ni rien, pas même un cheveu dans le jacuzzi, une éclaboussure sur le miroir, un parfum de douche récente, tout est désert, désert, à l'abandon, comme une salle de bain d'hôtel. Et je sors, éperdue, pour aller ratisser toutes les pièces de la suite, avec le crétin sur les talons et toutes les pièces de la suite sont aussi vides que la chambre et la salle de bain : la chaîne B&O a disparu, l'écran de ciné, les DVD, les laser discs, les énormes enceintes, les partitions sur le piano, les photos de Derek, mes photos, l'affiche du film sous verre dans l'entrée, les chargeurs de portables dans les prises près du lit, les portables aussi, d'ailleurs, et tout notre bordel accumulé pendant un an et demi de vie commune, d'achats compulsifs, de va-et-vient, d'emmagasinement rassurant : « personne-n'habite-ici », me dis-je, « personne-n'habite-ici », et je me rabats sur mon dernier espoir, le coffre, et je compose la combinaison en me disant que dedans, il y aura une lettre de Derek, peut-être une lettre de rupture, de suicide, ou simplement d'explication : « Je t'ai bien eue, rejoins-moi au Peninsula de Hong-Kong, une voiture t'attend devant l'hôtel, voilà du cash pour les pourboires, couvre-toi, les nuits sont fraîches dans l'avion », mais je n'ai pas le temps d'espérer longtemps, pas plus d'une vingtaine de secondes, le temps de composer trois fois de suite la combinaison du coffre et je me rends compte au moment où il se bloque, que si ça ne s'ouvre pas, ce n'est pas parce que je suis trop nerveuse, ou que le mécanisme déraille, si ça ne s'ouvre pas, c'est tout simplement parce que je n'ai *pas* la bonne combinaison et en jetant un dernier regard à la chambre déserte, au visage navré du garçon, à ce coffre verrouillé, j'ai le vertige, comme si un précipice venait de s'ouvrir sous mes pieds nus, dans cette chambre au Ritz, qui n'est de toute évidence pas ma chambre, qui ne l'a peut-être jamais été.

— Mademoiselle, il faut y aller maintenant, tenez, voici vos affaires.

Ma vue se brouille comme pendant une crise d'hypoglycémie, et je saisis à tâtons le lambeau de soie rouge qu'il me tend, je me frotte les yeux et attire l'objet à la lumière. A première vue, c'est une robe de coupe et de qualité douteuses, peut-être Ungaro, un ancien modèle Ungaro, tellement vieux style que Michelle Pfeiffer aurait pu le porter dans *Scarface*, seulement voilà, *Scarface*, c'était au début des années 80.

— Et il y a les bottes avec…

Je ne veux même pas jeter un coup d'œil aux bottes, je suis au bout du rouleau.

— Mademoiselle, ne pleurez pas, nous allons tout faire pour vous aider…

Je pleure.

— Ernest, vous… ne voulez tout de même pas… que je mette ça ?

— Vous devez descendre, mademoiselle, et tout ce qu'il y a à vous, ici, ce sont cette robe, ces bottes et ce trousseau de clefs.

— Je préfère descendre en peignoir, si ça ne vous fait rien. Hein ? Je préfère sortir en peignoir dans la rue, je préfère sortir chercher Derek à poil dans la rue, que mettre ce vieux machin. Que vont penser mes fans, hein ? Vous ne pouvez pas me faire ça. Rendez-moi mes vêtements, mes bijoux, ma montre, et mes crèmes La Prairie. Refaites marcher ce coffre. Laissez-moi appeler Derek. Je vous en supplie, laissez-moi appeler Derek. Je ne sais pas pourquoi, il me fait ça. Je n'ai rien fait de mal. C'est vrai que j'ai été un peu surmenée, ces temps-ci, mais ça va aller, je vais redevenir gentille, dès que toute cette pression sera un peu retombée... On ira sur la Côte, se reposer. Ça nous fera du bien, un peu de repos. Nous avons une très belle maison, là-bas, vous devriez venir vous reposer, avec votre famille. Vous êtes gentil. Vous n'êtes pas responsable de ça. C'est Derek. Tout est de la faute de Derek. On ira se reposer sur la Côte, il y a une très belle vue, une belle piscine. On fera du bateau. Vous êtes déjà monté sur un Riva ? Vous verrez, c'est très joli, très confortable. Tout est très joli. Nous menons une vie de rêve, vous verrez. Hein, on pourrait partir, cette après-midi ? Il y a des vols toutes les heures. C'est à une heure d'ici. On pourrait peut-être même prendre le jet, si on les prévient maintenant. Laissez-moi juste prendre une douche, et me changer, faire mes bagages...

— Enfilez ça, mademoiselle, il est déjà une heure.

Et si tout ça...

— Tournez-vous, Ernest, s'il vous plaît.

Il se tourne et je passe la robe et les bottes. Puis je le suis – l'impression de marcher à l'échafaud –, un goût de métal dans la bouche, et je sens quelque chose à l'intérieur de ma botte droite, et au moment où la porte de la suite se referme, j'y glisse la main et attrape un billet de cinq cents euros – je peux les reconnaître au toucher, avec Derek, on jouait souvent à « combien j'ai dans la main », les yeux bandés – je retire une liasse de ma botte, il y en a vingt : dix mille euros. Derek, encore. Et là, je me souviens de cette robe, c'est Sissi qui me l'avait prêtée, Pavillon des Champs, *Superstars*, la jalousie de Sissi, cette avant-première où il y avait tout le monde, où il y avait Derek, où tout a commencé. Je portais cette robe et il y avait ce type, avec Leonardo, qui m'avait appelée Lady in Red et m'avait fait boire jusqu'au black-out, ma première cuite, la pièce qui tournait, j'avais perdu Sissi dans la foule et tant mieux, Derek m'avait ramenée dans cette chambre, notre chambre, dont je n'étais jamais repartie, dont je repartais aujourd'hui. Dans la même robe. Avec ces bottes écorchées. Et tout ce que je possède dedans. Des clefs non identifiées et une liasse de billets mauves aux numéros de série qui se suivent. Je sors de l'ascenseur et cherche un visage familier : à la réception, des inconnus aux traits hostiles. Je me dirige vers eux.

— Bonjour, Lucien est là ?

Derrière moi, Ernest me couve d'un regard apitoyé.

— Quel est son numéro de chambre ? me demande le type, presque avec insolence.

— C'est le concierge, dis-je en serrant les poings.

— Je suis le concierge, madame.

— Ne me racontez pas d'histoires, dis-je, ça fait

un an et demi que j'habite là, et vous n'êtes pas le concierge de cet hôtel. Où est Lucien ?

— Il n'y a pas de Lucien, ici, madame, et je vous prierais de garder votre calme.

— Bien, reprends-je, je souhaiterais voir le directeur.

— Le directeur est occupé, madame, que désirez-vous ?

— Ce que je désire, ce que je désire...

Je suis en train de craquer, je sens mes ongles s'enfoncer dans les paumes, j'ai la mâchoire endolorie tant je serre les dents, envie de pleurer, je pense : persécution, acharnement, complot, je vais étrangler ce sale type, je suis au bord de la crise de nerfs.

— Je crois que vous avez eu ce que vous désiriez, n'est-ce pas, madame, m'assène le sale type en reluquant la liasse que je chiffonne nerveusement depuis tout à l'heure, depuis en fait que je suis sortie de l'ascenseur, et je vois soudain tous ces gens autour de moi, me regarder de haut, et avec dégoût, et mépris, sans cette petite lueur, cette petite lueur de curiosité et de fascination que j'ai appris à discerner dans les yeux de tous ceux qui me reconnaissaient. Mais dans le hall du Ritz, à cet instant, personne, personne ne me connaît, et dans le miroir d'en face, la fille en robe rouge avec ses biffetons qui volettent autour de ses mains jointes a tout à fait l'air de la dernière des putes.

— Ernest va vous reconduire.

— Non, je hurle, ça suffit, j'en ai assez, que cette plaisanterie cesse à l'instant, dites-moi la vérité, je vous en prie, espèce de salopard, dites-moi la vérité, où est Derek, je veux Derek !

« Derek, je hurle à la cantonade, Derek ! Où es-tu ? Montre-toi, espèce de monstre, arrête-moi ce cauchemar ! Derek !

Je marche au hasard dans le hall du Ritz, en appelant : « Derek, Derek ! » et ma voix résonne, caverneuse, dissonante dans ce hall feutré, policé où ça doit faire un bail que personne n'a élevé la voix, j'ouvre toutes les portes, j'arrête les passants et je les dévisage, je cours presque, en fait, je cours sur place puisque au fond, je ne sais pas où je vais, et je trébuche sur le tapis, et je me raccroche à une colonne, mes billets tombent par terre et s'éparpillent et je m'en fous, je cherche Derek, Derek connaît la vérité. Je sais qu'il est planqué quelque part, peut-être dans ce bar, peut-être à l'Hemingway, ou dans le long couloir, sur la terrasse, dans une simple chambre pour brouiller les pistes, dehors derrière une colonne, déguisé en voiturier, et quand je l'aurai trouvé, il se mettra à ricaner comme il fait tout le temps chaque fois que je le prends en traître et me dira : « Alors, ma poule, pas mal orchestrée ma petite mise en scène ? » et je ne sais pas si je rirai de soulagement ou si je le tuerai. On me rattrape à l'entrée du restaurant. Le sale type de la réception s'empare de mon bras .

Taisez-vous, maintenant, taisez-vous ou j'appelle les flics !

Il colle sa main sur ma bouche, et j'essaie de me débattre, et cette lopette appelle des types de la sécurité, des types que je n'ai jamais vus, et pendant que je mords la poussière, je vois le sang couler de mon nez, mais je ne ressens aucune douleur, et je remarque simplement à quel point le plafond est haut.

— Qu'est-ce qui se passe ici ? dit une voix derrière moi, et j'essaie de me retourner mais le sale type me tient solidement.

— Rien monsieur le directeur, juste une pute camée qui fait du scandale, on allait la sortir.

— Dans mon bureau, dit monsieur le directeur, et on me traîne derrière lui dans les limbes de l'hôtel, et je scrute son profil dans les glaces murales, peine perdue, lui aussi est un imposteur, comme tout le monde ici, sauf moi, et je crache plutôt que je ne hurle aux videurs qui me maintiennent, et aux regards de mépris des clients bien habillés : « Je ne suis pas une pute camée ! Je ne suis pas une pute camée ! »

— Je ne suis pas une pute camée, je murmure entre mes sanglots au directeur qui me toise de derrière son bureau.

— C'est vous qui vous êtes introduite dans la Vendôme cette nuit, n'est-ce pas ?

— Je ne me suis introduite nulle part, c'était ma chambre...

— Bien sûr... Je voudrais savoir qui vous a ouvert et avec qui vous avez passé la nuit.

— J'ai ouvert *ma* porte, de *ma* chambre, avec *ma* clef, j'aboie.

— Bien sûr...

— Et je ne suis *pas* une pute camée.

— Mademoiselle, ça faciliterait la vie de tout le monde si vous consentiez à dire la vérité.

— Je dis la vérité, c'est vous qui mentez, vous n'êtes pas le directeur de cet hôtel, vous faites partie du complot.

— Mais enfin de quoi parlez-vous ? C'est les urgences de Sainte-Anne qu'il faut appeler, pas les flics, dit-il au sale type.

— Le complot de Derek. Derek Delano. C'est une bonne blague qu'il me fait, et qu'il vous fait à vous aussi et je vous assure que vous déchanterez quand vous *saurez*, et je crois que vous ignorez à qui vous avez affaire.

Le name dropping fait son effet, et à la mention Delano, tous deux échangent un long regard ahuri, et je reprends courage : justice sera bientôt rendue.

— Derek Delano ?

— Oui. Parfaitement Delano. Et moi, je suis Manon D, et je vous assure que quand tout sera rentré dans l'ordre, je vous ferai vous mordre les doigts de vos ignobles agissements.

— Manon qui ? demandent-ils en chœur, avec le même air incrédule.

— C'est ça, Dumb et Dumber, je dis, parce que je ne sais que dire, c'est ça, c'est ça, c'est ça.

— Et que vient faire monsieur Delano dans cette histoire ?

— Monsieur Delano est en voyage, ça fait six mois qu'on ne l'a pas vu, il est aux Etats-Unis, je crois. Vous le connaissez ?

— Je suis sa femme ! je hurle.

— Sa femme ?

— La femme de... ?

Et ils éclatent de rire comme si j'avais dit, je ne sais pas, que Tom Cruise était hétéro, ils éclatent de rire, d'un rire méchant, convaincu, sincère, tant ce que je viens de dire leur paraît aberrant, grotesque, fou. Et je me demande tout à coup si ce que je viens de dire n'*est pas* aberrant, grotesque, fou.

— Laissez-moi passer un coup de fil. Juste un coup de fil.

Quand je me fais jeter du Ritz par ces deux videurs que je n'ai jamais vus, le soleil tape et je réalise, un peu hors de propos, que c'est encore l'été : « Tiens, c'est vrai que c'est encore l'été », j'ai le Lacrimosa du *Requiem* de Mozart plein la tête, et je titube devant l'hôtel, sous le coup de l'écœurement et de ce que je peux appeler, sans en faire des tonnes, du désespoir, évidemment je ne sais pas où aller, évidemment, je suis paumée, paumée, peut-être folle à lier même, peut-être en train de dormir, et je me réveillerai bientôt sous les baisers de Derek et il se moquera gentiment de mon cauchemar et me dira en s'efforçant de ne pas paraître trop sérieux : « Tu vois que tu ne peux pas vivre sans moi », et je dirai que non, mais le soleil qui m'éblouit est bien réel, et l'odeur poivrée du Ritz qui s'estompe, au fur et à mesure que je m'éloigne, est bien réelle aussi, et tout le monde me regarde de haut – moi, on me regarde de haut –, et je crois que c'est ce qu'il y a de plus réel et de pire, ce regard dont je m'étais déshabituée.

Et si tout ça...

Deux pétasses en rose, à peine majeures, me dépassent, et je ne sais laquelle dit :

— Je vais demander une Jaeger, ou peut-être une Président, ou peut-être une Jaeger. Ou une Président. Ou une Jaeger. Tu crois que je prends une Président ou une Jaeger ?

J'attrape une des pouffes par le bras et je lui demande :

— Eh, tu me reconnais ?

Et la fille se dégage avec un air de dégoût et dit :

— Ça va pas, non ?

Puis, en s'éloignant : « Qu'est-ce que c'est que cette pute camée ? »

J'hésite à la rattraper pour la gifler et je suis à moitié piétinée par un troupeau d'Américains en shorts, exubérants, quelqu'un siffle un taxi, et le sifflement me perce les tympans, je crois que je vais m'évanouir devant la colonne Vendôme qui m'a bercée toute l'année, une pédale pressée avec un sac à main, et pas mal d'allure pour une pédale, me bouscule et laisse tomber une paire de lunettes de soleil juste devant moi, je la ramasse et je crie :

— Eh ! Eh vous, avec le sac à main alors que vous ne devriez pas ! Eh vous, vos lunettes !

Mais la pédale ne se retourne pas et presse le pas, puis disparaît en courant vers la rue Saint-Honoré et j'examine les lunettes, ce sont les dernières Chanel, redesignées d'après un modèle des années 50, noires, que j'avais commandées la semaine dernière, et je préfère me dire : « coïncidence », et je les mets, et je me sens un peu mieux, et porter des verres fumés me rappelle entre autres que je suis célèbre sous ce ciel bleu fond d'écran, alors, subitement, ce monde effondré se ranime car je sais enfin où aller. Je me mets à courir place Vendôme et tous ceux que je croise me suivent des yeux et je cours d'autant plus vite que je sais que dès que j'atteindrai le coin de la rue Saint-Honoré, il y aura ce panneau de pub qui supporte mon affiche, immense, immuable, familier, et dès que je verrai mon visage et mon nom, mon cauchemar sera fini, et tout ceci ne sera plus qu'un mauvais souvenir, même mon œil tuméfié guérira comme par miracle, et le goût âcre dans ma bouche s'évanouira et peut-être même Derek en train de m'attendre dans la voiture, et que sais-je, le staff de ce jeu de mauvais goût, et je ne dois pas oublier qu'où que j'aille on me regarde, tout ceci ne sera qu'un mauvais souvenir, et la vérité apparaîtra aussi tangible et évidente que le titre du film et je comprendrai tout, tout, et ce monde redeviendra mon monde, le monde réel, comme s'il ne m'avait jamais trahie.

J'atteins le coin de la rue et au moment où je lève les yeux vers la rédemption, j'entends, une étroite fraction de seconde, le thème de *Midnight Express*, au loin, qui décline en même temps qu'enfle, puis éclate le sifflement d'un moteur de Maranello et je pense : « Derek » et je ne sais pourquoi « Tout est foutu », et cette conviction se confond avec la perception immédiate du visage de Natasha Kadysheva photographiée par je ne sais qui pour ce nouveau parfum Chanel : Dignité, et ce slogan, « Ce qui reste, tout ce qui reste, quand on a tout perdu », et le mien de visage n'est nulle part, excepté sous mes doigts fébriles qui le meurtrissent et je contemple Natasha, stupide, et je tombe à genoux devant l'affiche : « Dignité, dignité, ce qui reste, tout ce qui reste quand on a tout perdu » et je ne peux plus faire un pas, je ne veux plus faire un pas, je pourrais crever ici, je pourrais crever puisque je suis dingue, définitivement dingue, et que j'ai tout perdu.

Quelqu'un me tape sur l'épaule, et l'espoir au creux du ventre, je me retourne, espoir déçu, ce n'est qu'Ernest, apitoyé toujours, qui me tend mon argent. Si, il me reste au moins ça, et je me demande bien quelle passe cocaïnée j'ai pu commettre la nuit dernière, et avec quel repoussant vieil homme riche et mourant, pour qu'on me balance tout ce fric, mais je les prends quand même et hèle un taxi, sans même dire merci et le taxi freine avec empressement dans un crissement de pneus et avant de monter sans savoir où je vais, je tiens la portière ouverte et j'interroge Ernest sans y croire :

— Ernest, vous m'avez déjà vue quelque part ?

— Non.

— Cette affiche, « Dignité », elle est là depuis quand ?

— Depuis si longtemps que je ne me souviens même pas ce qu'il y avait avant.

— Qu'est-ce qui m'arrive à votre avis ?

Il hésite avant de répondre, il a l'air tellement navré pour moi, ce pauvre employé d'hôtel, il me plaint de tout son cœur, du haut de son esprit sain.

— Je ne sais pas, madame.

Je claque la porte et dis au taxi :

— Roulez.

— Où ça ?

— Tout droit, je sais pas. Je m'en fous.

Il me dévisage, soupçonneux dans le rétro en demandant :

— Jusqu'où ?

Et je lui tends un des billets mauves et je réponds :

— Jusqu'à cinq cents.

Nous avons traversé Paris dans tous les sens et nous sommes arrêtés devant chaque panneau, devant chaque arrêt de bus, devant chaque cinéma et je n'étais nulle part. Nous nous sommes arrêtés à chaque kiosque à journaux, et je demandais *Elle*, *Gala*, *VSD*, *Match*, *Vogue*, *Studio*, *Première*, *Numéro*, *Blast*, *Max*, *Rolling Stones*, *Dazed and Confused*, et tous les *GQ* possibles, et je n'étais nulle part. J'ai demandé de vieux numéros. On m'a dit qu'il fallait les commander par correspondance. Je les commanderais par correspondance. Je scrutais tous les passants. Les passants me scrutaient en retour et passaient outre. Je me suis acheté un sandwich. Le sandwich était sec. Je l'ai mangé quand même. La nuit tombait. Dans un tabac place de la Bastille, le type derrière le comptoir m'a dévisagée, avec cette lueur particulière dans les yeux. Il m'a dit : « Je vous reconnais. » Mon cœur s'est mis à battre. J'ai souri. Il a repris : « Tu es la petite Manon, la fille du bistrot, de Terminus, c'est bien ça ? Alors, toi aussi, t'es montée à Paris, finalement ? Comment va ton papa ? »

Quand je suis sortie du café, il pleuvait des

cordes, le temps de monter dans la voiture, j'étais trempée jusqu'aux os. Je grelottais dans ma robe de soirée déchirée. Sur la banquette arrière, à côté de moi, il y avait plus de cinquante magazines. Il faisait très sombre, à présent, et avec la fièvre qui me gagnait, chaque panneau d'affichage, défiguré par la pluie battante, l'obscurité et le ballet capricieux des phares des voitures, me donnait l'illusion que c'était moi.

Le chauffeur de taxi m'observait dans le rétro.

— Rentrez chez vous, vous allez attraper la mort, me dit-il.

— Non, j'ai dit, il faut que je téléphone.

Il faisait très froid dans cette cabine téléphonique où je me suis arrêtée, avenue de la Grande-Armée. La pluie cascadait sur les parois de verre, m'isolant du reste du monde. Avant de composer le numéro de Derek sans y croire, j'ai soufflé une seconde, appuyée contre l'appareil, sans penser à rien. Je regardais les gens, les gens pressés, avec leurs écharpes, et leurs longs manteaux, se débattant contre le vent, étreignant leur parapluie, tentant d'abriter la baguette de pain qui dépassait de leur sac, les gens se hâtaient avenue de la Grande-Armée, ils s'engouffraient dans le métro, se serraient les uns contre les autres en se lançant des regards méfiants, sous les abris incertains des arrêts de bus, ils se hâtaient vers leur voiture, garée dans la contre-allée, ils hélaient des taxis allumés, qui manquaient de les renverser en les éclaboussant d'eau sale, et les gens pestaient, hurlaient dans le vide après les taxis, certains d'entre eux étaient à pied, ils couraient presque, certains fumaient des cigarettes, en n'y prenant visiblement aucun plaisir et les volutes de fumée grise se mêlaient à celle des pots d'échappement, et au souffle blanchâtre de ces centaines de gens, ces centaines de gens qui rentraient chez eux.

J'ai composé le portable français de Derek.

Le numéro n'était pas attribué.

J'ai composé son portable suisse.

Le numéro n'était pas attribué.

J'ai composé son portable anglais.

Le numéro n'était pas attribué.

J'ai composé son portable à New York.

Un temps très long s'est écoulé avant que la communication passe, et puis ça a sonné. Au bout de vingt tonalités, quelqu'un a décroché. J'ai entendu une respiration à l'autre bout du fil, et une sirène de flic, et puis le thème de *Midnight Express*, tellement bas que ça ne pouvait rien être de plus qu'une hallucination. Et puis la communication a été coupée. Et dans ma tête, j'entendais toujours le thème de *Midnight Express*, comme s'il venait de très loin.

J'ai pressé mes deux mains de chaque côté de ma tête, sur mes tempes, et j'ai appuyé très fort, comme si je voulais en extirper la vérité. Et si tout ça n'avait jamais… J'ai appelé le Plaza. Il fallait que je parle à Kurt. Kurt était incorruptible. Kurt n'aimait pas beaucoup Derek. Kurt me dirait la vérité. J'ai demandé à parler à lui parler. « Kurt qui ? » m'a-t-on demandé. « Kurt Cobain », ai-je répondu. « C'est une plaisanterie ? » m'a-t-on demandé. Et je me suis souvenue qu'il était inscrit sous un faux nom. « Il est inscrit sous le nom de Travis Bickle ».

« Mademoiselle, a braillé le type, j'ai du travail, alors vos canulars... »

« Je sais qu'il ne veut pas être dérangé, j'ai dit, mais c'est un de mes très bons amis, dites-lui... dites-lui que Manon D veut lui parler, c'est très important. »

Il y a eu un silence à l'autre bout du fil.

— Mademoiselle, *Kurt Cobain est mort il y a dix ans.*

Et le type m'a raccroché au nez.

Le compteur du taxi indiquait trois cents euros. Ça faisait bien quatre heures qu'on tournait, et je ne trouvais que des mauvaises réponses. J'avais froid, tellement froid, et nulle part où aller. Je suis repassée place Vendôme, et j'ai vu de la lumière par les fenêtres de ma suite. Et puis, en fouinant dans le tas de journaux, j'ai ramassé ce trousseau de clefs. Je savais bien ce qu'elles ouvraient, ces clefs. Je le savais depuis le début, et j'ai indiqué l'adresse au taxi. La gare Saint-Lazare n'était pas si éloignée de Vendôme. Et pourtant... La nuit rougissait au fur et à mesure que nous tournions le dos à mon passé argenté, nous nous enfoncions dans Paris, je me mordais le poignet. Je me souvenais du chemin, et des sens interdits. J'ai laissé la monnaie au taxi. Le code n'avait pas changé. L'escalier craquait toujours. J'ai tourné la clef dans la serrure. Je suis entrée.

L'appartement était à peu près rangé, tout était à sa place. Ça puait le tabac froid et la solitude comme si je l'avais quitté la veille. Il y avait une tasse de café à moitié pleine abandonnée sur la table. Un cendrier, avec un seul mégot. De la vaisselle dans l'évier. Des boîtes de conserve dans le placard. Mon lit mal fait. Du linge séchait sur un radiateur. Il y avait un bouquin ouvert sur la tranche au milieu du canapé. J'ai regardé le titre du bouquin, c'était *La Mouette* de Tchekhov. Je n'ai même pas eu la force de soupirer. Dans la salle de bain, j'ai retrouvé un flacon vide de décoloration bon marché.

Le répondeur clignotait près du téléphone : j'ai appuyé machinalement sur le bouton :

— Manon ! C'est Sissi ! Qu'est-ce que tu fous, putain ! Si t'es encore en retard, l'Ordure va te massacrer ! Dépêche-toi ! Au fait, ça va mieux ton crâne ? J'ai cru que tu allais crever d'une hémorragie hier soir, quand je te suis rentrée dedans avec mon plateau ? Bon rapplique !

Aujourd'hui, à quinze heures trente-cinq.

— Manon ! Connasse ! On t'a attendue toute la matinée ! Les filles ont eu du boulot par-dessus la tête au déjeuner ! On a fait deux cents couverts ! Deux cents putain de couverts ! Avec quatre filles ! Si tu peux pas venir, tu préviens ! Si t'es malade, tu préviens ! Et t'as intérêt à avoir un certificat médical, cette fois-ci ! Sinon, je vais tellement bien t'arranger ta petite gueule que tes castings bidons, tu les passeras plus que pour des films d'horreur. Et t'as intérêt à rappliquer à temps pour le dîner. Connasse !

Aujourd'hui à dix-neuf heures douze...

J'ai débranché le téléphone et j'ai enlevé ma robe. Je n'avais qu'une seule envie, c'était dormir ou crever. Je n'avais même plus la force de me doucher. J'allais dormir. Et puis demain... Demain, j'aurais peut-être la solution à tout ça. Demain, tout allait s'arranger. J'ai presque souri en pensant à demain, puisque tout allait s'arranger.

J'ai allumé la lumière de la chambre : au-dessus du lit, il y avait des photos que je ne me souvenais pas avoir collées. Je me suis approchée. Ce n'étaient pas des photos. C'étaient des pages de magazines, maladroitement arrachées.

C'était Derek.

Derek en couverture de *Fortune*. Derek à la une du *Monde*, à propos de cette fusion avec Texaco. Une longue interview de Derek, en photo dans un magazine de déco, posant dans sa maison à Saint-Tropez. Derek en couverture de *Match*. Avec Natasha Kadysheva. Derek dans le Park, en train de courir aux côtés de Natasha, rachitique et cernée. Derek, en train de faire des cabrioles dans l'herbe avec Natasha. Derek à l'avant-première de *X-Men* 2 avec Hugh Jackman, Anna Pakin et machin, là, qui fait la campagne Guess. Derek sur le bateau, au large de Monaco, machin qui fait la pub Guess lui passe de l'huile dans le dos. Elle fait la grimace. Elle porte sa Rolex, une robe Pucci, le chapeau assorti, et les lunettes assorties. Mirko montre son cul à l'objectif. Et de nouveau, Derek et Natasha au bal des Etoiles. Derek et Natasha en train de vomir ensemble devant le VIP sur les Champs, pendant que le jour se lève. Et au milieu, noyé parmi les autres, un très beau portrait noir et blanc de Derek et ce qui doit être Natasha, dans le carré des Caves de Saint-Trop, mais on ne voit pas le visage de Natasha, parce que j'ai collé une autre photo pardessus. Une photo de moi.

J'étais dingue à enfermer.

Tout ça n'avait jamais existé.

Et quelque part, sans doute au fond de moimême, ce moi-même abyssal, dont j'ignorais tout jusqu'à cet instant, résonnait encore, comme s'il venait de très loin, ce sacré thème de *Midnight Express*.

XIV

NOCTURNE OP. 48, N° 1, EN MI MINEUR

DEREK — Il y a ce piano sous mes doigts, et je ne peux rien en tirer. Je tremble comme un possédé, de tout ce mal qui est en moi, et que je n'arrive pas à exprimer. Quelque chose me manque, je ne sais pas quoi. Je plaque un accord en mineur. C'est beau, les accords des autres. C'est drôle, mais tout à l'heure, dans cette boîte de nuit, on me regardait avec envie. Les notes s'envolent sous mes doigts, je me tape un whisky pour tenir, le jour hésite, je veux pas dormir. La nuit est bleu foncé, presque noire, et dans le vernis du piano, j'ai une putain de sale gueule. L'air hagard. Dehors, le jour hésite. A cette heure-ci, on ne peut plus se cacher grand-chose. Les consciences en paix reposent, et moi, je larmoie sur mon sort par touches hostiles interposées. Un air de Chopin, un Nocturne que j'aime, parce qu'il m'évoque une marche funèbre. Dans le vernis noir, je vois aussi ma suite inanimée, mon lit vide, le lustre plus grand que moi, l'éclat impitoyable du parquet trop ciré, mon dos décliné à l'infini de miroir en miroir, la cheminée froide, et la colonne Vendôme, et j'ai envie de dégueuler. Je vois tout ce que j'ai raté. L'aube. Des visages. Pas grand-chose, en fait. La musique est lumineuse, indicible, et moi je suis sombre et défoncé, et je jouerai jusqu'à m'effondrer. L'infini flotte dans l'air, je tends les mains pour le saisir, la musique se tait, il s'évanouit. Je ne veux pas que la musique se taise. Elle diffuse la clarté du paradis perdu, le bleu des souvenirs, et je ferme les yeux, et je divague, et je me balance au rythme lent de tout ce que j'ai gâché. Je me demande où sont ceux que j'ai aimés, et je regarde le parquet. Je me demande, quand tout cela va cesser, et les années qui me restent sont sans doute – sans doute, parce qu'on ne sait jamais – moins nombreuses que les touches de ce piano. Et je pourrais presque m'en réjouir.

XV

DÉCADENCE

MANON — *J'ai un diadème sur la tête et toute cette lumière m'éblouit. Je crève de chaud. Je dis : « Merci d'être venus. » Je dis : « Merci à tous. » Je serre l'objet dans mes bras. Je dis : « Je n'aime pas les discours. » Je parle des rapports entre la France et les Etats-Unis, je dis que l'art et la culture sont universels, je dis que nous sommes une grande famille, la grande famille du cinéma. J'évoque la paix dans le monde, le bonheur d'avoir pu travailler avec monsieur Karénine. Ma mère, qui doit être tellement fière, là-haut. Je dis : « Merci pour cet Oscar. » Et puis je commence à pleurer et je laisse tomber le balai à chiottes. Je détourne les yeux des néons, autour du miroir de la salle de bain... Je dis : « Merci, merci » dans un sanglot, et je sursaute. Je vois mon reflet. Sur ma tête, les diamants sont faux, mais ils brillent quand même. Deux traînées de khôl sur mes joues caves. Les cheveux platine aux épaules, pisseux sur les tempes et ces racines noires... Tout à l'heure au restau, l'Ordure m'a demandé de faire quelque chose pour mes cheveux. « Mauvais genre, a-t-il ajouté, tapin des boulevards extérieurs, clients horrifiés, image à respecter, lundi t'es brune, ou c'est la porte, tu crois peut-être que tu vas décrocher des rôles avec ton look de junkie ? »*

Je compte ce que j'ai ramassé ce soir. Pas grand-chose. Trois billets de dix, cinq de cinq, et de la sale petite monnaie. J'irai chez le coiffeur demain. Je n'ai pas la force de me démaquiller. Je prends deux Stilnox pour mieux tomber.

Il paraît qu'on s'habitue à tout, peut-être même à l'idée d'être fou. Lisa, une des serveuses du Trying avait étudié la psycho pendant deux ans. Elle avait arrêté pour se consacrer à sa carrière de mannequin. En fait sa carrière de mannequin se résumait à deux catalogues au rabais, une pub télé pour des substituts de repas et quelques éditos. Elle travaillait au Trying pour « arrondir les fins de mois ». C'est ce qu'elle disait, mais il n'y avait rien à arrondir et ses fins de mois se réduisaient à sa fiche de paie. C'était classique. Je la questionnai habilement. C'est-à-dire que je lui racontai mon histoire comme si elle était arrivée à « une copine ». Je n'avais pas de copine et le procédé était élimé jusqu'à la corde, mais ce n'était pas un hasard si Lisa avait arrêté la psycho pour le mannequinat. Elle répondit à mes questions avec toute la bonne grâce du monde, si ce n'est une réelle pertinence, sans se douter une seconde que c'était avec la schizophrène érotomane, « complètement jetée, vraiment à enfermer, camisole de force, cellule individuelle, électrochocs et tout », qu'elle partageait son rang.

J'étais donc érotomane, j'avais développé à l'égard de Derek, de l'image de Derek, une sorte de passion que je croyais partagée. J'étais schizophrène aussi, et dans je ne sais quel repli caché de mon cerveau malade, j'avais rêvé cette vie, notre vie, et ma folie tenait à peu de chose : je ne pouvais distinguer le fantasme de la réalité.

Peu importait de toute façon, je préférais être cinglée que bossue. Dans ce monde-là, être cinglé, c'était presque classe. Je me foutais éperdument d'être du genre qu'on enferme, tant que je pesais moins de quarante-cinq kilos. Non, si je passais désormais mes soirées seule et stupide chez moi, à écouter la *Sonate au Clair de Lune*, en promenant amoureusement une lame de rasoir sur les veines saillantes de mes poignets : « Appuiera ? Appuiera pas ? », c'était moins par désespoir de me savoir « incapable de distinguer le fantasme de la réalité » mais plutôt pour y échapper, à cette sale réalité.

La réalité, c'était d'abord l'exil, l'exil en plein Paris, tout ce qu'était Paris pour moi, j'en étais interdite, j'étais une étrangère dans ma ville, j'avais perdu les clefs. Je ne connaissais plus de Paris que des rues hostiles et des visages anonymes, que ce restaurant détesté où je gagnais ma vie, que quelques cafés glauques aux banquettes avachies, que mon taudis sous les toits.

Et j'arpentais Montaigne et les Champs-Elysées, la place Vendôme, la rue Saint-Honoré, invoquant mes souvenirs à chaque façade, à chaque vitrine, à chaque porte verrouillée, suppliant je ne sais quelle entité divine de m'en restituer l'accès, de me restituer ma vie. J'étais comme une vieille tragédienne qui retourne au théâtre, paie sa place au balcon et assiste dans l'ombre, impuissante et frustrée, à une pièce dont elle tenait autrefois le premier rôle. Elle chuchote les répliques en play-back, imagine aux mouvements du rideau l'effervescence discrète des coulisses, elle les connaît par cœur, les coulisses et l'odeur âcre et chaude des soirs de première et se rappelle sa loge, la glace, les hommages, le trac et les bouquets, mais c'est le nom d'une autre qui est inscrit sur la porte, et un gardien qu'elle n'a jamais vu lui a interdit tout à l'heure l'entrée des artistes.

Pourtant ce gardien est là depuis près de quarante ans, il est né ici, et mourra ici, et il ne l'a pas reconnue. Et cette pièce qu'elle a l'impression de savoir par cœur, elle vient à peine d'être créée, et ce soir c'est la première. Quant à la loge de l'actrice, c'est drôle, mais on n'a jamais vu son nom, son nom à elle, la vieille tragédienne, inscrit sur la porte, on s'en souviendrait. En fait c'est une vieille folle, et elle n'est jamais montée sur scène. Elle se prend pour Gena Rowlands dans *Opening Night*, elle est schizo, hystérique, démente, elle se planque sous son foulard alors qu'elle n'a rien à cacher, elle a passé sa vie dans l'ombre, et maintenant qu'elle n'a plus rien à perdre, que ses jours sont comptés, elle peut enfin péter un câble.

Ce n'est pas une exilée, ce n'est pas une has been, simplement, elle n'a jamais été.

Moi non plus.

Et puis il y avait Derek, et ça, je préférais ne même pas y penser.

La réalité, c'était la faim retrouvée. Pire que tout, pire qu'à Terminus, pire que la faim qu'on a toujours connue : le jeûne qui succède à l'orgie. Imaginaire ou pas, l'orgie avait eu lieu, elle avait paru éternelle, et elle avait pris fin, et il n'y avait plus rien à bouffer.

La réalite, c'etait mon taudis sous les toits, a peine chauffé, crade, minable, avec ses plafonds bas, sa peinture défraîchie, noirâtre par endroits, ses fenêtres sans rideau, ses draps râpeux, l'eau glacée, les chiottes sur palier et traversant les murs, l'odeur de cuisine bon marché des foyers pauvres d'à côté. C'était se lever à l'aube, dans le froid, et l'angoisse du sale boulot qui m'attendait, et l'angoisse de savoir qu'il n'y avait plus que ça qui m'attendait, le sale boulot, ingrat, humiliant, crevant, pour le restant de mes jours, se lever à l'aube et geler sous la douche, et boire ce café infect dans l'odeur de clope froide et de renfermé, et celle, rance, du métro, l'heure de pointe et n'être qu'une passante qu'on bousculait sans s'excuser, qu'on regardait sans voir, et marcher en bâillant, jusqu'à ce restaurant de merde, et servir des minables, sous la surveillance perverse de l'Ordure, se faire engueuler pour de la purée froide et du champagne tiède, et s'il n'y avait que ça, mais la réalité, c'était les mains dans l'eau sale entre les deux services, et les piles d'assiettes qui n'en finissaient pas, la plonge répugnante, à côté du Pakistanais clandestin content de son sort et bien dans sa peau, à se demander si on n'y serait pas mieux, dans la peau du Pakistanais clandestin, c'était nettoyer les chiottes, et le nez dans la merde des autres à genoux sur le marbre, grotesque dans ma robe haute couture, car ce cash mal acquis, les dix mille euros des mauvais jours, récupéré au Ritz en ce matin funèbre : foutus en l'air, en deux heures de shopping, parce que je n'avais pas pu me résoudre à porter des robes sans marque et des pulls qui grattaient, et je nettoyais les chiottes en robe Chanel, et je tachais mes cachemires d'eau de vaisselle, je n'avais plus un centime à cause de mes conneries, et au bout d'une semaine, à J+7 de ce que j'appelais la fin du coma, je faisais les fonds de tiroir pour me payer des clopes en peignoir de dentelle, et l'angoisse du loyer, l'angoisse de la survie que j'avais oubliée, bouffer des restes, faire son ménage et que des factures au courrier, s'estimer finalement heureuse de se faire humilier, parce que toute humiliation mérite salaire, et ce salaire, c'était tout ce que j'avais, ce salaire de misère, et je le gagnais durement chaque jour, et les jours passaient sans éclaircies, juste la tourbe du quotidien, s'exténuer pour survivre et survivre sans raison, et après l'humiliation, c'était la course effrénée pour le dernier métro, et les quais déserts ou mal famés, et les rames pleines de pisse où détalaient les rats, ou si je le manquais, rentrer à pied par moins quinze, pour économiser en attrapant la mort, les dix pauvres euros que coûteraient un taxi. Et le retour au taudis, tourner la clef et balancer mon manteau par terre, vider les cendriers, me servir un verre, tourner en rond, errer sans savoir quoi faire, la réalité, c'était cinq chaînes à la télé, et pas dix balles pour acheter un lecteur DVD, la réalité c'était de passer la soirée penchée à la fenêtre, emmitouflée dans la couette percée, et se tordre le cou pour tenter de saisir au vol quelques notes de musique du pianiste d'en face. Et la beauté volée de la *Sonate au Clair de Lune*, la seule à laquelle j'avais accès, douloureux rappel de tout un monde que j'avais oublié, celui des émotions, des rêves, des illusions, et pendant quelques secondes d'abandon, j'ai de nouveau vingt-deux ans, et la sonate continue de me bercer, puis décline et s'éteint et je rouvre les yeux sur le silence et le froid, sur la rue d'Amsterdam à mes pieds, sur la réalité, et j'ai envie de sauter.

Sissi prenait ma déchéance à cœur. Voir que je m'enfonçais chaque jour davantage l'emplissait d'une telle joie, qu'elle devait en éprouver une sorte de culpabilité, ce qui lui fit se mettre en tête, non pas de me sortir de là, elle n'en avait pas le pouvoir et surtout pas l'envie, mais d'adoucir mon mal en me changeant les idées. Elle décida de me sortir. Je ne représentais plus aucun danger pour elle : j'étais un déchet. Nul besoin d'en connaître davantage sur mon compte que ce qui était marqué sur mon visage en ruine. Je n'avais plus d'expression, plus d'âge, les joues caves, les dents jaunes, les cheveux bousillés, et des poches sous les yeux, l'ourlet droit de ma lèvre supérieure s'était affaissé, tordant mon sourire en un curieux rictus de mort. J'avais la peau sur les os. Pour Sissi, j'étais sortable à présent.

Et je sortais tous les soirs. On allait de bar en bar, vêtues comme des pouffiasses, couvertes de faux bijoux, se pochetronner la gueule au whisky on the rock en guettant le coup d'un soir. On y retrouvait les amis de Sissi, de vieux amis, qu'elle ne voyait que la nuit, une bande de laissés-pour-compte revanchards qui, disait-elle, me comprendraient, comprendraient mon histoire. Ils ne comprenaient pas, mais payaient l'addition. Je ne leur demandais rien de plus, de toute façon. Parfois, l'un d'entre eux jetait son dévolu sur moi, se postait à mon côté, et la nuit entière m'abrutissait de tequila frappée, de mauvaise coke et de compliments éculés. Et j'y passais, puisqu'il fallait bien y passer. J'y passais dans les chiottes, où ça avait le mérite d'être court, ou dans des bagnoles empruntées. Ou dans des chambres de bonne. J'y passais au petit jour, à l'heure bâtarde où l'on n'attend plus rien de la nuit, où on a peur de son lit. Ils bandaient mou en général, et je ne savais même pas mettre une capote, on baisait mal, juste pour le geste, dans le fracas des poubelles qu'on enlève.

Et le lendemain soir, on se revoyait, on s'asseyait à la même table. Eux dérapaient sur mes lèvres en me faisant la bise, ricanaient, les mâchoires crispées, un peu gênés. Je ne l'étais pas.

C'était une sacrée bande de losers, on s'était bien trouvés. Il y avait une dizaine d'éléments permanents, et une dizaine d'autres occasionnels. Avec Sissi, nous faisions partie des éléments permanents. Sissi était starfuckeuse de métier, comédienne ratée, imbécile heureuse. J'étais moi aussi une comédienne ratée, c'était le minimum, je sortais du ruisseau, j'étais schizo. C'étaient nos lettres de noblesse, sans quoi nous n'aurions pas été admises chez les Losers anonymes, la plus glauque des thérapies de groupe. Paul avait quarante ans, il possédait un théâtre porno et passait le plus clair de son temps à rédiger des lettres destinées au ministère de la

Culture pour la réhabilitation de cet art méconnu. Rick, alias Ricardo, avait le bonheur de tenir un rôle récurrent de junkie dans une série policière sur M6, ce n'était pas un rôle de composition, Robert, dont le plus grand drame n'était pas de se prénommer Robert alors qu'il était né dans la seconde partie des années 70, Robert était scénariste et maudit, scénariste parce qu'il en avait décidé ainsi et maudit car depuis près de dix ans, chaque fois qu'il mettait le point final à la énième version du « scénar du siècle », il ne se passait pas une semaine avant que quelqu'un d'autre sorte exactement le même film : même thème, même narration, même titre, jusqu'aux prénoms des personnages et les villes dans lesquelles ils vivaient. Et le scénar du siècle partait à la poubelle, et le moral de l'auteur avec, jusqu'à ce qu'il ait une nouvelle idée du siècle qui subirait de toute façon le même destin. Et passé une certaine heure, Robert n'était plus qu'amertume et révolte contre cet échec qui n'était pas sa faute, d'autant qu'il devait en plus supporter la responsabilité de celui de son frère, aspirant metteur en scène, supposé réaliser le chef-d'œuvre, et qui vivotait faute de mieux : le dernier chèque qu'il avait touché avait été émis par une chaîne de restoroute dont il avait tourné le film institutionnel.

Il y avait aussi Lucas qui cumulait les fonctions de chroniqueur mondain d'un journal en faillite, rédacteur à mi-temps de concepts télé qui passaient rarement le cap du pilote, amis des stars. Il y avait Claire, l'échappée des sitcoms, ex-égérie des douze quinze ans, qui ne s'était jamais remise de sa couv' d'*OK Podium* et de son apparition dans *Jet-Set*, Claire et son statut privilégié parce que c'était la seule d'entre nous qu'on reconnaissait parfois dans la rue, sa meilleure amie : « Bérénice, bonsoir, chanteuse », elle chantait sous la douche, écumait les castings de télé réalité, s'était tapé l'équipe de France dans son intégralité et doublait les Models, et enfin Nicolas qui peignait des estomacs sur des fonds de couleur et appelait ça de l'Art, et d'autres encore, dont je confondais les visages, les prénoms et les échecs, filles et garçons un peu jolis, déjà tapés, aux physiques banals, aux prénoms banals, aux destins banals.

On était aigris et alcooliques, mesquins et pathétiques. On n'était même pas des artistes maudits, on n'était pas des artistes. On avait tenté de détourner l'art à notre petit profit : on voulait la gloire et le pognon. On ne devient pas une star pour de mauvaises raisons. On n'avait pas d'idées à défendre, pas d'idéaux, pas de passion, pas de talent, à peine une âme. En fait, c'était moral, c'était bien fait. On était des arrivistes maudits. Ça ne nous aurait pas dérangés de faire de la merde, pour peu qu'on nous adule et qu'une foule en délire hurle nos noms connus devant des boîtes de nuit. On aurait répondu des âneries consensuelles aux journalistes, on aurait fait le tapin à la télévision, et en disant merci en plus, on aurait envoyé chier les photographes mondains, puisqu'on n'en aurait pas eu besoin, on aurait contribué à des causes humanitaires perdues pour qu'on dise du bien de nous, emprunté des vêtements à de grands couturiers, on aurait voyagé, on aurait représenté la France à l'étranger, on aurait fait des procès à *Voici* en faisant passer notre cupidité pour une revendication pro-droit à la vie privée, on aurait vidé les open bars et dévalisé les soirées de lancement, on aurait émis de prudentes opinions politiques, on serait allés se planquer soi-disant, à Saint-Barth en hiver et en Corse l'été, on aurait donné des conférences condescendantes dans les lycées en précisant bien que n'est pas comme nous qui veut, on aurait name-droppé à mort, on aurait prétendu qu'on n'avait pas le melon et qu'on était des gens comme les autres, on n'en aurait pas pensé un mot, on aurait fini par s'installer dans le XVIe puisque Los Angeles n'aurait pas voulu de nous, on aurait mal vieilli, et on aurait nié nos opérations de chirurgie esthétique, on se serait mariés avec un collègue, on aurait divorcé, on aurait craqué en prime time en demandant qu'on cesse toute cette publicité, on aurait peut-être traversé le désert et on aurait prétendu que ça faisait du bien de se couper comme ça de ce vilain monde pourri du show-biz, on se serait prostitués au premier coup de fil, on se serait remariés avec d'autres collègues, on aurait nié nos autres opérations de chirurgie esthétique, on aurait eu des enfants qui auraient titubé sur nos traces prestigieuses et nous auraient rendu responsables de leurs échecs : « trop de pression » auraient-ils dit, et dans la presse en plus, on aurait été riches sur la fin, on aurait souri jaune aux émissions de télé quand on nous aurait diffusé nos cassettes de jeunesse, on aurait fini par décéder de fatigue, et tout Paris se serait bousculé à nos funérailles couvertes par *Paris-Match*, et *Paris-Match* nous aurait peut-être consacré une ou deux, ou même plusieurs couvertures, qui auraient fait du chiffre, ou peut-être juste une double page avec des photos noir et blanc et les témoignages pleurnichards des proches éplorés, ou peut-être, et c'est ce qui risquait malheureusement de nous arriver, une minable mention nécrologique qui n'aurait intéressé personne, simplement parce qu'on aurait conservé un pote à la rédaction.

Ce n'est pas qu'on vivait mal, on habitait Paris, on écumait les bars. On ramassait les miettes, les miettes nous suffisaient. On était le clair-obscur, pas complètement in, pas complètement out, pas assez out pour que ça ne nous gâche pas la vie. On était Tantale, on crevait de soif dans un bain d'eau fraîche. On était l'arrière-plan, interdits de scène, tolérés, à peine, en coulisses. On connaissait tout le monde, et personne ne nous connaissait. On colportait les ragots dans lesquels on n'avait aucune part, on décryptait les interviews, on forçait la porte des soirées privées, et on regardait, debout, sans aucune gêne, les autres en train de dîner. On était le type à côté de machin sur les photos people, certains de nos noms apparaissaient en tout petit à la fin des génériques des films, on avait trois sorties sur Internet, on était mi-spectateurs, mi-figurants, seconds hallebardiers rôles muets ou placés à l'orchestre : on connaissait l'ouvreuse, on connaissait le DJ, on était la toile de fond, la racaille mondaine, le bord de la route, la tangente au cercle, coincés dans le sas, entre le dehors et le dedans, on ne voulait pas ressortir, on ne pouvait pas rentrer. Ce n'est pas qu'on était à plaindre, il n'y avait pas de quoi : on ne nous plaignait pas, on ne nous enviait pas non plus. En fait, on ne nous regardait pas. On était insignifiants, ternes, banals, dans un monde où l'insignifiance était la pire des tares. On n'était personne, et c'était ça, le drame.

Alors chaque soir on échouait dans le même bar, on s'enivrait à l'alcool fort et aux récits cent fois répétés de nos actes manqués, on refaisait le monde, un monde meilleur où chacun d'entre nous aurait eu sa place, parce qu'il était acquis que si on en était là, ce n'était certainement pas de notre faute, c'était le monde qui était mal fait, et nos ailes de géants nous empêchaient de marcher, et les enceintes diffusaient doucement *Mr Georgina* de

Ferré, qu'on n'écoutait pas, qu'on entendait quand même et toutes nos phrases commençaient par « si » et se conjuguaient au conditionnel passé.

Moi, je n'étais plus seule, et j'avais définitivement substitué à l'errance dans mon taudis bas de plafond, la beuverie généralisée, à Beethoven, le brouhaha et la variété française pleurnicharde, à mon désert sentimental, la facilité crade, à la conviction que mon destin, dans sa misère, avait au moins quelque chose de tragique et d'unique, celle de n'être qu'une tarée parmi les tarés, ratée parmi les ratés, à la colère, l'oubli léthargique, à l'image dans le miroir, un clown triste au rimmel dégoulinant, une vieille tapée du tabouret de bar, aux tendances suicidaires, simplement le laisser-aller.

Derek est entré dans le bar avec des filles maquillées, s'est assis en retrait, a donné son manteau, s'est commandé à boire. Puis il a jeté un coup d'œil distrait vers les autres tables et son regard s'est arrêté sur moi et Claire a dit : « Eh, c'est Derek Delano, c'est Derek Delano, vous avez vu comme il me *regarde* ! » Pendant quelques secondes, il m'a dévisagée comme s'il ne m'avait jamais vue, et d'ailleurs il ne m'avait jamais vue, et puis il a détourné les yeux et qu'est-ce que ça pouvait bien me foutre ?

XVI

NON-CINÉMA

DEREK — En fait, j'avais inventé le non-film. C'était un genre nouveau, un genre qui collait parfaitement avec notre époque nihiliste, un genre qui illustrait de façon significative la dégénérescence de cette fin de siècle dont j'étais l'enfant terrible · fin de citation. Un non-film, c'était d'abord un budget – sans argent pas de film, et par extension, pas de non-film – puis un scénario que j'avais imaginé, la création d'une réalité parallèle, des décors, naturels, certes, mais des décors tout de même, une véritable armée de figurants, un maître d'œuvre : un réalisateur, j'étais le réalisateur et Mirko, cette crapule, était mon premier assistant, et une actrice, belle, bonne et buccale, et cette actrice, c'était Manon.

Là s'arrêtait la corrélation avec le cinéma, parce que la caractéristique du non-film, c'est qu'il n'y avait pas de caméras.

Les non-films ne coûtaient pas très cher, puisqu'il n'y avait pas d'équipe et pas de matériel, ils ne coûtaient pas cher, mais ne rapportaient strictement rien puisqu'ils n'étaient pas destinés à être vus. Le non-cinéma n'était pas une question d'argent, c'était de l'art.

Les non-films ne laissaient aucune trace derrière eux, ils étaient volatils comme du poppers, implacables comme la vie. On y engageait son destin, et il n'y avait même pas d'avant-première. Les non-films se terminaient mal.

Celui-ci, je l'avais nommé *Bubble gum* parce que tout y semblait creux, rose, et gluant : décors, propos, sentiments, les personnages eux-mêmes, moi compris, étaient creux, roses et gluants, au bord de l'éclatement, et ce derrière quoi ils couraient, la sacro-sainte reconnaissance, la sacro-sainte célébrité, était devenue, à l'époque où le non-film était supposé se dérouler, aussi creuse, rose, banale et brève qu'une pauvre petite bulle de chewing-gum qui finissait inéluctablement par vous exploser à la gueule.

Sa bulle rose, c'était ce que Manon voulait, c'était ce que Manon cherchait, c'était pour ça qu'un soir, il y a bientôt deux ans, elle m'avait vendu son âme.

C'était la première séquence, la scène d'ouverture, le début de la fin. J'avais trouvé la fille, ou plutôt le sujet, je lui avais acheté son âme sur *Paint it black*, des Stones.

Je l'avais ramenée chez moi, et je l'avais mal baisée. Je m'étais tiré avant qu'elle se réveille parce que je ne pouvais déjà plus la supporter. Musique : *Roxanne* de Police.

Le lendemain, je l'avais envoyée chez Chanel avec ma carte pour payer et mon chauffeur pour la séquestrer. Elle était rentrée à l'hôtel avec ses nouvelles fringues et ses scrupules à deux balles. Monologue. Baiser.

Musique : *Souvenirs* de Gathering (thème du non-film). Fin de l'exposition.

Puis j'avais racheté l'agence Vanity, qui était au bord de la faillite. Je l'avais rachetée et j'avais foutu tout le monde dehors. J'avais fait booker Manon et j'avais démarré le casting. J'avais besoin de sosies, beaucoup de sosies. A Paris, à New York, à Moscou, à Milan, à Londres, j'avais ouvert ou détourné des bureaux, débauché des scouts, passé des annonces. Cinquante personnes rémunérées à plein temps écumaient sans relâche les rues, les bars, les boîtes, les agences de mannequins, les jardins publics, les sorties d'écoles et les grands magasins à la recherche de sosies. A l'aide du traitement initial du scénario du non-film, j'avais établi une liste exhaustive des sosies que je recherchais. J'ai refusé quatre copies de Werner Schreyer avant de trouver le bon qui tapinait dans un bar homosexuel à Montréal. J'ai trouvé la jumelle de Natasha Kadysheva dans la propre agence de Natasha, la pauvre petite était polonaise et ne faisait pas une photo malgré ou à cause de sa ressemblance avec le top model. Il me fallait des copies conformes de toute la faune mondaine, mode, télé, cinoche. Il me fallait des mannequins et des figurants. Après avoir rassemblé suffisamment de monde, je les avais envoyés dans une vieille pension suisse rénovée par mes soins, où Mirko, aidé d'une vieille prof de danse à la retraite et d'un styliste héroïnomane jeté de chez Balenciaga à cause de ses problèmes de sniff, leur enseignait « ce-qu'il-fallait-savoir » pour avoir l'air d'une parfaite petite créature de clip. Au programme : relookage, les garçons apprenaient le maniement du gel déstructurant et comment s'habiller comme une fashion victim sans trop avoir l'air d'un con, les filles à rouler du cul et l'art du « fuck me look », il y avait des cours de ce dialecte : le new-yorkais, des cours de maintien – les sosies devaient avoir l'air parfaitement à l'aise en toutes circonstances, nous nous devions donc de leur enseigner comment tenir convenablement un couteau et une fourchette –, il y avait aussi des séances factices de photocalls, des cours de name dropping, des épreuves de littérature : commentez cette phrase de Bret Easton Ellis, « Plus tu es splendide, plus tu es lucide », des cours magistraux de culture G : couples de stars, qui baise qui à Hollywood, les dix photographes avec qui vous êtes censés rêver de travailler, l'œuvre de David Lynch, de Larry Clark, de Gregg Araki, avec anecdotes de plateau et considérations d'ordre général à propos du cinéma underground, les hôtels en Russie, pour ou contre la guerre en Irak, pour ou contre les Beckham, ceci débouchant sur des travaux pratiques de conversation mondaine, et surtout, surtout, la matière principale, intitulée : « Les mille et une conneries à faire avaler à Manon ». Les bestioles apprenaient vite, et forniquaient ignoblement dans les dortoirs, tous étaient enthousiastes, assidus, heureux d'être là, tous étaient persuadés qu'ils étaient filmés à leur insu et ne demandaient que ça. Ce n'était pas le cas. Ils étaient grassement payés et avaient signé des contrats de confidentialité béton. Au bout de trois mois, tous étaient formés, décadents, rompus à tous les usages, de parfaites petites bestioles branchées : je pouvais enfin commencer le grand jeu.

Séquence 4, New York printemps dernier. Intérieur jour – suite présidentielle au Pierre (ma suite) : Manon effectue son premier shooting factice. Derrière l'appareil photo, un vague sosie d'Inez Van Lamsweerd, récemment émoulu de l'Ecole, assisté d'une de mes plus mauvaises recrues, inutilisable autrement, un sosie velléitaire de Guillaume Canet. Jonchant le parquet, l'intégralité de la collection Dolce&Gabbana automne-hiver à venir. Trois ventilos tournent à plein régime, menaçant de foutre l'immeuble par terre. La fausse Inès est un peu dépassée par les événements. Manon prend la pose et s'y croit à mort. Ce que c'est drôle. Je sors me taper une escalope milanaise chez Nello.

L'unique photo potable obtenue lors de ce bordélique shooting m'avait servi à fabriquer un faux *Vogue* italien. J'avais racheté une imprimerie désaffectée au bord d'une autoroute du Sud, où j'avais posté un faux-monnayeur défroqué, une ancienne disons relation de travail de Mirko, un type génial, en tout cas, cynique et inspiré qui me pondait de formidables fausses couvertures de magazines.

J'ai répété l'opération une fois par semaine pendant près d'un an sans que Manon se rende compte de quoi que ce soit. Elle ne remarquait même pas que, quand elle était désagréable et prétextait des migraines pour se soustraire à la consommation de notre union, sa bookeuse (excellente élève de l'Ecole) la prenait à peine au téléphone et ne lui répondait que pour lui ordonner de perdre encore cinq kilos en la menaçant d'un renvoi imminent, en revanche, quand elle était gentille, affectueuse et acceptait au lit l'emploi de divers sex toys (godes, fouets, menottes) et l'incursion d'étrangers, ou plutôt d'étrangères, sa bookeuse dès le lendemain, la persécutait pour lui proposer avec hystérie campagnes Ginger Coke voire Vuitton, shootées par Avedon, en la prestigieuse compagnie abdominée de Werner Schreyer, l'un de mes sosies les plus aboutis.

Le faux Avedon shootait, le faux Werner posait, le staff de maquilleuses ricanait doucement pendant que Manon faisait sa mijaurée en se plaignant d'être trop demandée. J'envoyais les planches au labo, qui les envoyait à la retouche, et tout ça finissait sous presse chez le faussaire, qui me réexpédiait aussitôt des piles entières de faux *Elle*, de faux *Vogue*, de faux *GQ*, remplis de fausses campagnes de pub hyperréalistes, où, je dois le reconnaître, Manon n'était franchement pas mal. Campagnes de pub qu'il déclinait aussi sous forme d'affiches, et je salariais des colleurs pirates dans toutes les villes où nous séjournions que j'envoyais placarder le visage de Manon partout où elle était susceptible de passer, et puis tout arracher pendant qu'une autre équipe abattait le même boulot cent mètres plus loin, et ainsi de suite, et ainsi de suite, et Manon avançait dans le décor, sans se douter que le décor avançait avec elle.

Le temps passait et Manon se déglinguait chaque jour davantage. Elle vivait dans une non-zone, qui n'existait qu'à ses yeux, pour ses yeux, par ses yeux, séquestrée dans un château de carton-pâte qu'elle pensait fait d'or et de marbre. Elle faisait des photos, les photos étaient dans les magazines le mois suivant, quand elle marchait dans la rue, les murs étaient constellés d'elle, elle sortait dans des bars et des boîtes que je louais pour la soirée, avant-premières de films sortis depuis des lustres, lancements de magazines baroques qu'on tirait à deux exemplaires, un pour elle, un pour moi, anniversaires de stars mondiales qui n'en étaient que de pâles imitations, elle refusait des interviews pour la 5, Nulle Part Ailleurs et Khalifa TV, elle dînait avec des mannequins ratés déguisés en top models qui lui léchaient les bottes parce que telles étaient mes instructions, faisait du gringue à Robbie Williams qui n'était pas Robbie Williams, faisait virer Laetitia Casta, un peu trop successful à son goût, mais ce n'était pas Laetitia Casta non plus, c'est à peine si les sushis dans les assiettes étaient réels, et moi, je jubilais de voir Manon se noyer dans son ego démesuré, suffisante, défoncée à la coke et aux hommages commandités, non-star parmi les non-stars, sous les flashes crépitant de non-photographes people, dans le plus absolu des non-sens.

Ceci n'était pas sans risque. Je vivais dans la crainte perpétuelle et tellement excitante d'abord d'une gaffe éventuelle d'un sosie, ou pire encore d'une trahison, qui auraient éveillé ses doutes, mais surtout, puisque la supercherie reposait sur l'immersion totale de Manon dans sa non-zone, je redoutais plus que n'importe quoi une irréparable interférence de l'extérieur, la moindre confrontation entre Manon, sa conviction d'être quelqu'un, et la réalité où elle n'était personne.

Séquence suivante : Festival de Cannes, je profite de la concentration de stars américaines pour lancer en fanfare mon dernier jouet, c'est une vraie soirée, et les invités sont *réels*. J'ai pris le soin de coller à Manon une non-séance photo le lendemain à huit heures du matin, je l'ai bourrée de Stilnox et de vodka : la logique aurait voulu qu'elle tombe comme une masse, mais c'était mésestimer sa résistance à l'alcool et aux cachetons, résistance considérablement renforcée les mois précédents par l'absorption récurrente et en quantité abondante de toutes les saloperies possibles, et à onze heures ce soir-là, Manon débarque hystérique en pleine réalité, dans la boîte surpeuplée des originaux de sa cour de sosies, et, accomplit l'exploit de ne se rendre compte de rien, me révélant ainsi à quel point j'ai réussi mon coup. Manon était prête à croire en n'importe quoi, elle avait des yeux, mais elle ne voyait rien, puisqu'elle ne voulait rien voir. Discute-t-elle quelques minutes avec le vrai Werner, supposé avoir shooté une campagne entière avec elle, qui ne la reconnaît pas, forcément, il ne l'a jamais vue, qu'elle en conclut immédiatement, non pas que quelque chose cloche de son côté, mais que c'est Werner, l'imposteur. Et si l'assemblée entière lui avait jeté des cailloux en hurlant : « Va-t'en, sorcière, tu n'es pas des nôtres ! », Manon en aurait sans doute déduit qu'ils étaient jaloux, ou qu'ils étaient à la solde de Laetitia Casta, ou pire encore, elle aurait pris l'insulte pour un hommage, les cailloux pour des roses, et se serait inclinée vers eux, la tempe ouverte, la lèvre éclatée, pissant le sang sans ressentir aucune douleur et aurait dit : « Merci, merci. » J'ai pris un pied d'enfer, ce soir-là.

Manon pourrissait lentement, faisait caprice sur caprice, buvait trop, déprimait, pétait les plombs. Elle disait qu'elle en avait assez d'être juste un top model, elle voulait qu'on la reconnaisse pour ce qu'elle était vraiment : une artiste, une artiste ! Elle voulait faire du cinéma, c'était son rêve le plus cher, tu comprends Derek, son rêve, son seul rêve, le cinéma, gnagnagna.

J'ai donc fait en sorte qu'elle fasse du cinéma. Ma gonzesse avait un rêve, la moindre des choses, c'était que je l'exauce. C'était à la fois amusant et vertigineux, le non-film dans le non-film, la non-mise en abyme, et sur ce plateau reculé des studios de Cinecittà, sur la véranda bancale d'une ferme en carton, une non-comédienne sous lithium déclamait du Tchekhov sur fond de toile peinte, devant une caméra dans laquelle il n'y avait pas de pellicule.

Au combo, ivre mort, le frère aîné de Karénine libère en martyrisant toute l'équipe, la frustration qui a brisé sa vie, celle d'être le frère raté d'un génie. Je l'avais rencontré pendant le tournage de *Superstars*, quelque part sur Mulholland Drive. Je l'avais pris pour Karénine, le vrai : même carrure, même tête, même barbe, il foutait la merde sur le plateau en utilisant sa troublante ressemblance avec son frère pour passer derrière et démentir ses indications. Il nous avait fait perdre une journée de tournage à trois cent mille dollars. Il était totalement jobard. Je l'avais gentiment sorti du plateau et nous étions allés boire au bar d'un hôtel borgne sur Sunset, finalement, nous avions passé la nuit assis par terre devant l'hôtel dont on nous avait jetés pour cause de tabagie publique. C'était un pianiste stérile, tout comme moi, et ce soir-là, nous avions créé des liens indéfectibles en jouant à quatre mains un Prélude de Bach sur un xylophone de fortune que nous avions fabriqué avec les bouteilles vides. Enfin, d'après une pute mélomane qui passait par là, notre interprétation n'était qu'une cacophonie sans nom. Mais nous ne l'entendions pas de cette oreille : le Prélude était en nous. La police locale nous avait suggéré de regagner nos domiciles respectifs. Nous nous étions exécutés et avions emmené la pute avec nous. C'était une excellente soirée.

Karénine II était absolument emballé à l'idée de non-adapter *La Mouette* de Tchekhov. Il se retrouvait dans la pièce, et surtout, dans l'idée d'en tirer un non-film, il voyait une allégorie à l'absurdité de sa vie, la reproduction fatale d'un schéma, un nouveau motif, passé le non-tournage, de regarder derrière lui et de se dire : « Qu'ai-je fait dans cette vie ? » pour y répondre : « Rien. »

J'avais mon non-réalisateur, il me fallait ensuite lui constituer une équipe. J'ai récupéré la blacklist de ma boîte de prod, et j'ai rappelé tous les techniciens délinquants qui y figuraient : voleurs de caméras, destructeurs de pellicules, érotomanes et velléitaires en tout genre, même un régisseur-dealer de coke qui s'est d'ailleurs révélé d'une rare utilité pendant le non-tournage. Je les ai tirés de leur chômage ou de leur prison, envoyés à l'Ecole pour un bref briefing, et rapatriés ensuite à Cineccità. Ils connaissaient leur boulot, et étaient dotés d'un cynisme à toute épreuve qui leur faisait trouver très amusant le mauvais tour joué à Manon et j'ai dû leur passer plus d'un savon pour qu'ils cessent de tous éclater de rire en chœur à chaque « Moteur ».

Restait à trouver le non-acteur principal. J'avais besoin d'une tête d'affiche, du genre de type dont Manon se serait dit en s'admirant dans la glace avant de se coucher : « Putain, je tourne avec Machin, je suis la partenaire de Machin, mon nom à côté du nom de Machin sur une affiche, je suis une star, une vraie, comme Machin. » Et puis il ne s'agissait plus d'une non-soirée mondaine où on ne voit pas à trois mètres devant soi tant il fait noir, où tout est une question de maquillage, ni d'un malheureux faux shooting où tout n'est qu'une question de stylisme et d'abdominaux, Manon côtoierait le sosie de Machin nuit et jour, à la lumière crue des studios, elle lui donnerait la réplique, elle lui ferait du gringue au maquillage, ils partageraient un sandwich pendant la coupure, ils se croiseraient au spa de l'hôtel, il y aurait du texte à apprendre, du jeu d'acteur, du suicide à la fin, même. Je ne pouvais confier une telle responsabilité à n'importe qui, et certainement pas à un crétin de sosie sauvagement casté dans sa favela natale ou son bar à tapettes de province, formaté à la célébrité unique dans mon école suisse improvisée. J'avais besoin d'un vrai mec, d'une copie conforme, certes, mais avec quelque chose en plus, comme Karénine II, dont la ressemblance avec son frère n'était qu'un critère mineur à côté de la folie furieuse d'artiste maudit qui l'habitait, le faisant plus vrai que nature. C'est à ce stade de réflexion que je me suis remémoré ma première et d'ailleurs unique expérience homosexuelle, dont je gardais un souvenir flou mais néanmoins agréable, avec Constantin, le frère sain d'esprit de Stanislas, ce monstre à l'œil vert. Constantin était à la rue, il était bassiste dans un groupe de heavy metal ethnique et vivait à Londres dans un squat, il avait renié son éducation d'enfant de la jet-set, ses études de finances et toute convention sociale. Il était omnisexuel et citait volontiers Oscar Wilde. Malgré sa blondeur slave, c'était le sosie parfait d'Adrien Brody, dont j'avais cru, un instant, à Cannes il y a trois ans, qu'il n'était autre que Constantin sous une nouvelle identité. C'était d'autant plus évident que le personnage portait aussi le prénom de Constantin, dont l'arrière-grand-père avait bien connu Stanislavski quelque part à l'Est, autour de 1870. Pour toutes ces bonnes raisons, Costa accepta de jouer le mauvais rôle, de toute façon, il n'avait de notion de bien et de mal que dans la mesure où ceci lui permettait non pas d'ignorer la morale, mais de la condamner par ses actes en connaissance de cause. C'est en tout cas ce qu'il m'avait expliqué au Harry's Bar, avant de faire bouffer son cigare à un vieux monsieur digne. Etant donné que c'était à peu près l'orientation définitive des textes de son groupe, qui répondait au nom judicieux de « And then what ? », que la musique qui supportait tout ça en épousait aussi bien la forme que le fond, avait-il ajouté, il était tout sauf surprenant que les « And then what ? » continuent de lutter pour se faire produire, et je pense d'ailleurs que ma promesse de lui financer un single a sans doute été pour quelque chose dans sa décision finale de rallier ma cause. Rendez-vous a donc été pris chez John Nollet pour m'arranger cette blondeur traîtresse, et je me suis moi-même chargé, en tant qu'ami d'enfance, futur producteur, ex-coup, etc, de faire répéter le prodige, et son rôle d'Adrien Brody, et son rôle dans le rôle de Treplev, en l'échec de qui il n'avait pas de mal à se retrouver.

Ce qu'il y avait de bien avec Tchekhov, c'est que

tout le monde s'y retrouvait. Tout le monde sauf Manon, qui de tout le non-tournage n'a pas ne serait-ce que soupçonné l'allusion. Non, non, Manon prenait des petites pilules qui lui permettaient de rester stoïque malgré la persécution générale dont elle était victime, jouait mal, buvait trop, se battait avec Karénine II qui ne pouvait pas l'encadrer. Moi, je commençais à me lasser de la crédibilité et la soumission de Manon. Karénine lui cassait-il un porte-voix sur la tête ? Elle se contentait d'exiger des excuses. Je lui défendais de parler aux techniciens et à Costa ; elle courbait l'échine et demandait en gémissant si elle avait au moins la permission de copiner avec sa maquilleuse... Tous les soirs avec l'équipe de raclures, Karénine II et Costa, nous regardions le foot en fumant des pétards, enfermés à double tour dans la suite de Karénine II et je disais à Manon que nous visionnions les rushes. Elle gémissait : « Je peux venir ? » Je répondais : « Impossible, Karénine ne veut pas de toi. » Il n'y avait pas de rushes. Elle maugréait et dînait seule ou avec sa maquilleuse sur la terrasse de l'hôtel en se pochetronnant au Bellini. Karénine II, qui imaginait une méchanceté par jour, lui interdisait de se laver les cheveux. Elle ne se lavait plus les cheveux. Il lui imposait des scènes d'hystérie où elle était supposée hurler, trépigner, baver ; elle bavait avec toute la grâce possible. On l'insultait. Ça ne lui faisait ni chaud, ni froid. C'est pendant le non-tournage qu'elle a commencé à se flétrir, elle ne ressentait plus grand-chose, passait ses heures de repos les yeux dans le vague, l'air vaguement stupéfait, elle n'était plus que l'ombre d'elle-même. Comme prévu. C'était trop simple, et quand je sentais peser sur moi l'absurdité de tout ça, je quittais le plateau et me rendais à Rome pour visiter la chapelle Sixtine. Et puis Manon a provoqué le suicide de Costa sans y voir le moindre sinistre présage. Nous avons quitté l'Italie.

Pendant les mois de prétendue post-prod qui ont suivi, j'ai travaillé sans relâche en prévision de la non-promo. De New York où je suis allé taguer l'immeuble où vivait Stanislas, de Tokyo où j'ai fait une overdose de sushis et de Buddhas (Manon voulait visiter, comme une vieille mère de famille américaine), de Dubaï, de Los Angeles, d'Istanbul, de Londres, de la Côte, je n'ai fait que passer des coups de fil pour régler au millimètre près le non-affichage, la non-presse, la non-télé, j'ai designé l'affiche du film que j'ai tirée à mille exemplaires – mon faux-monnayeur avait dû embaucher dix personnes pour le seconder –, j'ai acheté des bus, des panneaux publicitaires et des cinémas, et quant à ceux que je ne pouvais pas acheter, j'ai prévenu mes colleurs d'affiches pirates qu'ils devaient se tenir prêt à rempiler, j'ai briefé les figurants censés suivre Manon dans la rue et la harceler de demandes d'autographes, j'ai rédigé toutes les non-interviews personnalisées pour chaque non-journaliste, j'en avais casté vingt : pigistes crève-la-faim, profs révoqués, étudiants peu scrupuleux qui suivaient en attendant un stage d'été à l'Ecole avec mon sosie d'Ardisson, à qui j'ai acheté un costume noir, j'ai fait construire un plateau similaire au sien dans un hangar de la Plaine-Saint-Denis, j'ai bloqué des salles de conférences, je me suis exténué à tenter d'inculquer trois accords de guitare à mon providentiel faux Kurt Cobain, mais il y avait comme un court-circuit entre son cerveau et les terminaisons nerveuses de ses doigts et bien qu'il me répétât sans arrêt, comme pour me rendre cinglé : « I can play, I can play, I can play », j'ai décidé qu'il serait amnésique, puis je lui ai fait apprendre ses biographies non autorisées par cœur, je l'ai relooké, je l'ai installé au Plaza, je lui ai expliqué le fonctionnement d'un jacuzzi, je lui ai envoyé ma manucure, je me suis démené pendant deux mois, et Manon devenait carrément insupportable, quand nous étions ensemble, je diffusais *Bullet with the butterfly wings* le plus fort possible, pour ne plus avoir à l'entendre, pour oublier que je respirais son oxygène, il fallait en permanence les Smashing Pumkins entre nous, et ce qui n'était au départ qu'une expérience anthropologique, qu'un pacte que j'avais conclu avec moi-même, qu'une volonté d'artiste de mener à bien une œuvre : mon non-film virait au règlement de comptes et j'avais de plus en plus de mal à envisager son dénouement sans bain de sang et si je me démenais comme ça pour lui organiser la non-promo du siècle, c'est parce que je savais que plus haut j'emmènerais cette conne, plus dure serait la chute, et il fallait qu'elle soit dure cette chute, dure, longue, vertigineuse, abyssale, mortelle.

Nous sommes rentrés pour démarrer cette promo et Manon s'y croyait à mort. Elle s'y croyait à mort quand elle traversait Paris et qu'elle voyait sa gueule en 6 par 6 absolument partout, elle s'y croyait à mort pendant les interviews, elle virait ses attachées de presse, elle envoyait promener les types qui lui demandaient des autographes dans la rue, elle se sentait tellement unique, tellement privilégiée, elle avait l'impression d'être dans le secret de l'origine du monde, elle jubilait tout en faisant mine de se plaindre d'être trop exposée, son ego n'avait plus de limite. Elle était dopée à sa non-célébrité, blond platine, euphorique, overbookée et pendant ce temps-là, j'amorçais doucement le retrait du décor.

Manon vivait recluse dans une non-zone, un décor de théâtre, un château de carton-pâte. Pour tout lui enlever, je n'avais qu'une chose à faire : la libérer. J'ai libéré Manon, Manon était perdue.

J'ai travaillé la nuit, en équipe restreinte, seul avec Sissi et Mirko. Pendant que Manon, sous anxiolytiques, se remettait doucement de la crise de nerfs qui avait ponctué sa dernière conférence de presse, j'ai pris la Ferrari, et je suis allé contrôler tous les panneaux, tous les cinémas, tous les Abribus, pour m'assurer que son affiche n'était plus nulle part, j'ai fait conduire mes bus à la casse, puis j'ai envoyé tous mes figurants, tous mes sosies, Karénine II, Costa, Emma, en vacances à Bangkok, j'ai donné mes instructions au personnel de l'hôtel, j'ai résilié mes lignes de téléphone, je me suis rendu rue de Rome, chez Manon, près de la gare Saint-Lazare et je n'ai même pas éprouvé un remords en constatant la misère dans laquelle j'allais la replonger. J'avais pris soin d'en payer le loyer chaque mois, et l'appartement était comme si elle l'avait quitté la veille. J'ai écrasé des clopes dans les cendriers. J'ai vidé son frigo. J'ai envoyé Mirko racheter de quoi le remplir à nouveau. J'ai changé les draps du lit, que j'ai défait ensuite. J'ai sali de la vaisselle que j'ai laissée dans l'évier. J'ai pris du linge dans l'armoire que j'ai étendu sur un radiateur comme pour le laisser sécher, sur une suggestion de Sissi. J'ai négligemment posé *La Mouette* sur la table. J'ai vidé le flacon de décoloration bon marché que Sissi avait apporté et je l'ai jeté par terre dans la salle de bain. Puis j'ai collé les photos au-dessus du lit. Ce n'était pas Natasha sur les photos, c'était un de mes sosies. J'avais posé avec elle sous l'objectif de Mirko, qui avait été paparazzi dans une autre vie : dans le Park, à Saint-Trop, sur le bateau, sur les Champs. Je l'avais habillée avec les fringues de Manon. J'avais envoyé les photos à *Voici* et

Match, *Voici* et *Match* les avaient diffusées. La vraie Natasha leur avait intenté un procès. J'avais feint d'être indigné, moi aussi. J'avais arraché les pages, et je les avais gardées. J'avais été prévoyant, inventif, génial. J'ai mélangé les photos du *Voic*i avec ma couverture de *Fortune*, ma couverture de *Match*, une pub pour Dior que j'avais faite il y a longtemps, pour rigoler. Et pour donner le coup de grâce à Manon, j'ai collé une photo d'elle, une photo ratée qu'avait Sissi, par-dessus un portrait amateur de la non-Natasha et moi même aux Caves à Saint-Tropez.

J'ai sauté Sissi dans le couloir et nous avons quitté ce bouge infâme. Il ne me restait qu'à dire adieu. Mirko a déposé Sissi qu'il a, je crois, sautée dans la voiture, et je suis rentré seul à l'hôtel, retrouver Manon pour la dernière fois. Il était quatre heures du matin quand j'ai passé la porte, c'est drôle mais c'est avec une tristesse infinie que j'ai observé le ballet silencieux des femmes de chambre qui nettoyaient notre passé. J'avais l'impression d'assister à notre histoire en rewind, et je me disais au fur et à mesure que disparaissait jusqu'à l'idée que nous avions été ensemble, qu'il n'y avait pas eu que du mauvais dans cette histoire que je détruisais et pendant que la chambre se désincarnait, reprenant sa forme initiale de chambre d'hôtel où on ne fait que passer, je déambulais comme un con, parmi les femmes de chambres, et je m'arrêtais aux endroits où nous avions failli ne pas nous rater, l'endroit du premier baiser, la fenêtre où elle passait des heures à regarder au-dehors, pour voir si c'était mieux dehors, la salle de bain et ce miroir qui avait assisté tant de fois à nos insomnies, nos engueulades, nos regards complaisants côte à côte avant de sortir, je soupesais des objets sans trop savoir pourquoi, je soupesais son maquillage et les disques que nous écoutions, et je les reposais dans un soupir, je respirais son parfum avant qu'on ne l'emporte, je regardais se vider l'armoire de ses vêtements, je regardais disparaître nos photos, se désagréger nos souvenirs, et juste un instant j'ai eu envie de rappeler les femmes de chambres, leur demander de revenir et de replacer tout comme si de rien n'était, comme si tout continuait, et d'aller me coucher à côté de Manon, qui dormait comme un nourrisson (un nourrisson sous Valium), sans se douter que sa vie était en train de s'effondrer, mais au lieu de ça, je suis allé au coffre machinalement, parce que c'était prévu depuis longtemps, comme ça, inéluctable, parce que je l'avais décidé, j'en ai ressorti la robe rouge et les bottes de la première nuit que j'ai laissé traîner négligemment à l'endroit où, il y a deux ans, je les lui avais arrachées, j'y ai planqué du cash et les clefs du taudis, j'ai changé la combinaison, et les femmes de chambre sont parties sans bruit, et je suis resté seul avec Manon, seul avec elle pour la dernière fois, et parce que je ne savais pas quoi faire, je me suis assis à côté d'elle, et parce que je ne savais pas quoi faire, je l'ai regardée dormir, et peut-être que je ne souhaitais qu'une seule chose, qu'elle se réveille, me regarde, comprenne et me pardonne, mais elle ne s'est pas réveillée et je suis resté là, peut-être des heures, peut-être quelques secondes, jusqu'à ce que l'aube vienne me rappeler qu'il fallait que je m'en aille, comme si ç'avait été écrit, parce que je l'avais écrit, et je l'ai embrassée pour la dernière fois, et j'ai quitté la chambre.

Aujourd'hui Manon est seule comme par le passé, elle maudit le sort, et sa folie, elle est serveuse à nouveau et déteste sa vie, elle est alcoolique et quasi prostituée. Il paraît qu'elle hante tous les soirs ce bar où je me rends de temps en temps, malgré moi, juste pour l'apercevoir. Je vois une épave enlaidie, désespérée, et je détourne le regard comme si je ne la connaissais pas. Comme si je n'y étais pour rien. Pour me remonter, je me dis que j'ai réussi mon coup et que je devrais en être fier, mais les yeux éteints de Manon, sa démarche mal assurée, sa voix cassée me poursuivent jusque dans mes cauchemars. Et c'est dans un cauchemar que j'ai trouvé ma non-fin : Manon devait mourir.

XVII

SUR LE TROTTOIR

MANON — Ce n'est pas si dégueulasse, une pipe. Ce n'est pas si personnel. Les corps se touchent à peine. Il suffit de ne pas regarder. Moi, je ferme les yeux. Il suffit de ne pas écouter. Je pense très fort à une chanson de Nina Simone qu'on écoutait avec Derek. Et je l'entends dans ma tête, au lieu des râles. Le type est vieux, et gros, et laid et je ne l'ai pas choisi. J'ai sa queue dans la main droite, les doigts crispés qui remontent et puis descendent, pas trop serrés, sinon ça lui ferait mal, suffisamment fermes pour qu'il soit à ma merci. J'accélère le va-et-vient et il durcit dans ma bouche. Je fais attention de ne pas effleurer son ventre proéminent. J'isole sa bite du reste de son corps dégoûtant et ce n'est plus qu'une bite et je ne fais rien de mal. La première fois, j'ai eu des larmes et des insultes. Et le type a aimé ça. Maintenant, je n'ai plus ni larmes ni insultes, et tout ceci n'a plus de sens pour moi. Ce ne sont que des gestes, et la conscience du travail bien fait. De haut en bas, de bas en haut, de haut en bas, plus fort, plus vite, plus doucement, plus lentement, passer les vitesses, varier l'étreinte, la bouche accordée aux mains, je lui avale la queue jusqu'aux couilles et je n'entends pas son cri étouffé ; je danse presque, au rythme de mon jazz, je ne vois pas sa gueule révulsée par les premières pulsations de l'orgasme ; sous mes paupières fermées, les souvenirs défilent et des images de bonheur à venir et c'est presque un moment de pure beauté. Mais il y a un presque et c'est cette odeur à laquelle je ne peux pas échapper, l'odeur de ma honte, l'odeur de mon échec : une puanteur d'orgasmes crades, passés, présents, ou à venir, qui suinte des sièges, des visages et des murs. L'odeur de mon cadavre. Le jet m'éclabousse la figure et je suis censée aimer ça, je fais l'impossible pour continuer de sourire, et ma peau flambe là où elle a été souillée et je me relève pour saluer et il y a des gens pour m'applaudir. Il y a des gens pour m'applaudir, et je suis enfin sur scène.

Du fond de la salle, Paul me fait le signe de la victoire. Le rideau tombe avant que j'aie pu répondre et je retourne à pas lents vers ma loge. J'éteins les néons autour de la glace avant de me laver le visage. Paul frappe à la porte et me demande si je veux aller boire un verre. Je ne veux pas aller boire de verre. Je n'ai pas envie de quitter le théâtre. Je voudrais juste être à demain soir, et frémir d'excitation dans les coulisses, et donner tout ce que j'ai sur scène et qu'on m'applaudisse encore. Je voudrais juste qu'on m'applaudisse encore.

Chaque soir, on me vendait aux enchères. J'étais jeune, belle, presque encore fraîche, pas assez avilie pour être contagieuse, suffisamment pour être d'accord. Ils étaient laids, vieux, et la plupart du temps masqués, ils montaient sur scène contre pas mal d'argent, et pour pas mal d'argent, ils pouvaient refuser de se déshabiller. Ils m'exhumaient de leur braguette hors d'usage des bites sans visage que je suçais de mon mieux comme si ça me faisait plaisir en tentant de me dire : « C'est la rançon de la gloire », mais c'était le prix exorbitant de mon échec. Ils étaient laids, vieux, masqués, et me caressaient la tête du revers de la main. Moi, j'avais mal aux reins à force de me courber, à la tête à force de ne pas penser, et la mâchoire qui se décrochait à deux heures du matin. Et je fermais les yeux sur la vision d'horreur, et les oreilles à ces slows sirupeux écrits pour faire danser les amours naissantes et qui ne trouvaient d'écho qu'entre les fauteuils vides. J'imaginais une foule en délire, j'imaginais des fans prêts à vendre leur âme contre un signe de ma main, je me voyais star, altruiste et adulée, descendre de mon piédestal, choisir un anonyme et lui donner son quart d'heure de réciprocité. Je me voyais... Je ne me voyais pas là. Par-dessus mon jazz, j'entendais simplement des mains qui claquaient les unes contre les autres, des voix crier mon nom : « Manon, Manon ! » et juste m'imaginer qu'on célébrait autre chose que la dextérité de mes maxillaires, ma cambrure et mon cul. Et puis je quittais le théâtre et je rentrais à pied par les rues de Pigalle. Ce qu'il pouvait faire froid, ce que Paris était beau. J'avais envie de le peindre et je me contentais d'arpenter ses trottoirs. Et Nina Simone continuait de me hanter, et le bitume mouillé de la place Blanche reflétait la vie des autres, et ma fuite. Je fuyais le long des trottoirs sans personne à mon bras, il y avait tous ces néons et ces enseignes clignotant pour annoncer la fête lugubre de backrooms mal famés, néologismes borgnes, prénoms de femmes exotiques, noms communs amputés, qu'on devait au hasard d'ampoules éclatées, trop de lumière à Pigalle pour mes traits fatigués, trop de couples blasés, de passage, de bagnoles en pleins phares, de décadence admise, de solitude dégueulasse. Les trottoirs défilaient, mixés avec mon jazz comme dans une émission câblée, et il y avait dans cette musique la volupté fatale du laisser-aller, celle de mon destin contre lequel je ne voulais plus lutter, les trottoirs se dédoublaient à travers mes yeux vitreux, en fait, je pleurais, comme une épave, je pleurais sans avoir rien vécu, sans deuil et sans drame, juste ma médiocrité, et les trottoirs qui n'en finissaient pas. Je marchais sans but, ce n'était pas un but que de rentrer chez moi, je marchais sans nulle part où aller, et ça m'aurait été égal que mes pas me portent jusque dans cet endroit où il y avait un lit, dont je payais le loyer, mon taudis sous les toits, ou que mes jambes me trahissent et me laisser crever, sur le trottoir entre le théâtre et la rue d'Amsterdam, là ou mes forces m'auraient abandonnée. Parfois, j'entrais dans un troquet au hasard, dans la lumière jaunâtre qui plombe tous les havres ouverts 24/24, et je buvais un verre au bar pour me réchauffer en ne regardant que d'un œil la rediffusion d'un vieux film de Melville, accoudée, à bout de force, sous le regard apitoyé d'un barman ensommeillé qui en avait vu d'autres, sous les hommages désuets de pochetrons érudits, et j'entendais une junkie aux cheveux teints en rouge raconter au plafond qu'elle était tombée amoureuse d'un dealer à quinze ans, qu'elle l'appelait tous les jours sous le prétexte d'un gramme ou deux, qu'il avait fini en taule, qu'elle avait fini accro, et je me résignais à appeler un taxi.

A l'époque, tout le monde avait l'impression de déjà me connaître, et j'essayais de me dire que je devais être essentielle, alors que j'étais tout simplement banale. J'étais banale. J'allais bosser au restaurant, harassée de ma nuit de baise rémunérée, j'arrivais en retard, je cassais la vaisselle, je me trompais de commande et je ne parvenais plus, même au prix d'un effort surhumain, à sourire aux clients. L'Ordure m'engueulait et je ne répondais pas. Sissi prenait à peine ma défense et me toisait de l'air dégoûté que je méritais sûrement puisque j'étais arrivée à un point d'avilissement où je la surpassais, elle-même. J'étais donc la dernière des dernières et alors ? Sissi m'a balancée à l'Ordure, et l'Ordure m'a virée puisque je nuisais à l'image de l'établissement. J'ai eu envie de répondre que je me contentais d'assumer le caractère putassier de l'endroit, et que j'aurais carrément pu faire office de mascotte, mais j'ai préféré me taire et j'ai pris mes affaires, et je n'ai dit au revoir à personne et je n'ai pas claqué la porte.

Il n'y avait pas un chat dans les rues quand je suis sortie dehors, et en levant les yeux au ciel blanchâtre, un ciel de catastrophe, je n'ai vu que des volets fermés. Un cameraman m'a filmée à reculons sur toute l'avenue Montaigne, et je marchais vite en ne montrant que mon mauvais trois quarts, puisque ce cameraman n'existait sûrement pas. Il y avait du vent qui balayait les feuilles mortes et une rumeur sourde de fin du monde, encore une fois, j'étais seule et j'avais froid, et je n'aurais pas été étonnée si tout à coup, les immeubles en pierres claires s'étaient tout simplement effondrés, comme une reddition. Et puis un type est passé en courant et m'a bousculée et je suis tombée par terre, et quand je me suis relevée, un bus sorti de nulle part s'était arrêté devant moi. Je suis montée et le bus n'était pas chauffé, mais il y avait de la vie et je me suis sentie rassurée. Puis je me suis assise sur une banquette, en face d'une vieille bonne femme et d'un ouvrier, et la vieille et le type m'ont dévisagée et tous deux, d'un bond, se sont levés pour se réfugier au fond du bus, et peu à peu, toutes les personnes présentes se sont mises à s'agiter et par-dessus le vrombissement du moteur, je n'entendais qu'un chuchotement inquiétant, dont je ne saisissais que des bribes ; des insultes tronquées et des protestations, et on me montrait d'un doigt méprisant, finalement, il n'y avait plus que moi d'assise dans ce bus, face à une foule hostile, et je suis descendue quand la vieille m'a jeté quelque chose à la tête. Je me suis retrouvée sur le trottoir de la rue d'Amsterdam à deux cents mètres de chez moi, et j'ai commencé à remonter la rue, une boule dans la gorge et mes yeux qui s'embuaient, sûrement à cause du vent, et une bande de voyous m'a coursée, et l'un d'entre eux a essayé de me prendre par la taille et m'a collé sa main entre les jambes, et je l'ai repoussé et ils m'ont encerclée et traitée de putain, et puis ils m'ont craché à la gueule et s'y sont mis à quatre pour me jeter par terre, j'ai bouffé la poussière, et mon sac s'est vidé dans le caniveau, et j'étais à genoux en train de rattraper mes clefs et mon argent, et quelqu'un m'a poussée à nouveau, et on m'a marché sur la main, et dix personnes étaient autour de moi et hurlaient des insultes que je ne comprenais pas, et me jetaient des pièces et des débris de je ne sais quoi, alors j'ai pris la fuite, et j'ai couru le plus vite possible rue d'Amsterdam et chaque passant que je dépassais me bousculait ou m'insultait, et la foule qui me poursuivait grossissait de seconde en seconde et j'avais peur, alors je courais sans regarder où j'allais et une voiture a failli me renverser, et on m'a arraché mon manteau, et on a agrippé mes cheveux et j'ai eu mal en plus d'avoir peur, et je suis arrivée devant chez moi, et j'ai tapé mon code à l'aveugle et j'ai repoussé la porte de toutes mes forces, et je me suis appuyée contre pour respirer et derrière, j'entendais la foule qui tapait et hurlait, et j'ai pris l'escalier, et je trébuchais à chaque marche et je n'ai remarqué les tags qu'au quatrième étage, on avait dessiné des obscénités sur les murs et « PUTAIN » en grosses majuscules noires, avec des flèches qui désignaient mon appartement, et la porte était ouverte, et mon appartement était dévasté et j'ai cru qu'on m'avait cambriolée mais on n'avait rien emporté, ni la télé dont on avait brisé l'écran, ni mes vêtements lacérés sur les cintres qui jonchaient le sol trempé d'une pluie battante que je n'avais pas remarquée dehors, qui faisait crépiter les câbles déracinés, on avait défoncé les portes des placards et le gris des murs disparaissait sous les insultes et les obscénités, on avait écrit « PUTAIN » encore, et « GARAGE À BITES » et « C'EST TA FAUTE », et puis j'ai entendu cette musique qui venait de nulle part et enflait à chacun de mes pas, et les flèches pointaient sur un journal scotché au mur d'en face, et je me suis approchée et l'adagio enflait à m'en crever les tympans et j'ai vu la photo de mon père sur la une arrachée et l'adagio a explosé juste au moment où j'ai deviné le titre, et j'ai relu « C'EST TA FAUTE » sur les murs, et j'ai aperçu le flingue exactement au milieu de la table, et une seconde plus tard j'avais l'arme à la main et je l'ai mis dans ma bouche, la détente était dure mais cédait sous mes doigts et je me suis juste tournée vers le ciel, et entre mes deux fenêtres j'ai vu la pancarte « FIN ».

Et le téléphone a sonné.

J'ai sursauté, j'ai lâché le flingue au ralenti, et la musique a stoppé net. Je suis restée stupide, sans pouvoir faire un geste, pendant quelques secondes, quelques minutes ou des heures, et la sonnerie persistait, stridente, au milieu du désert. Je n'ai pas décroché. La sonnerie s'interrompait, puis reprenait. Il s'est arrêté de pleuvoir. J'ai allumé une clope. Je ne voulais pas réfléchir. J'ai décroché :

— Allô, j'ai dit.

— Allô, Manon ?

La voix ne me disait rien, un type pas très vieux avec un accent d'Europe de l'Est.

— Oui, j'ai dit.

— Les essais… Vous devez venir les passer maintenant. Une voiture vous attend en bas, elle va vous conduire ici.

— Quels essais ? Qu'est-ce que vous racontez ? Vous êtes qui ?

— Votre photo a été retenue. Vous devez venir passer les essais maintenant. Une voiture vous attend en bas, elle va vous…

— Je n'ai pas envoyé de photo.

— Vous croyez vraiment que vous êtes en position pour discuter ? Avez-vous la moindre idée du sens de l'expression « plus rien à perdre » ?

— Mon père est mort, j'ai répondu, pour qu'il me laisse tranquille.

— C'est faux, tout est faux ! s'est-il exclamé, l'air presque indigné avant de raccrocher.

Il y avait bien une voiture en bas de chez moi, une Mercedes noire, du genre inquiétant. Je ne m'inquiétais pas puisque d'une part, dixit la Voix, je n'avais plus rien à perdre, et d'autre part j'avais emporté le flingue. La bagnole filait vers le VIIIe, et je tournais et retournais cette putain de pancarte « FIN » et je ressassais et ressassais l'allégation de la Voix : « C'est faux, tout est faux. » Je n'avais plus de dignité, plus d'espoir, même plus d'appartement. Une voiture bizarre m'emmenait je ne sais où, il était huit heures du soir, il n'y avait pas d'embouteillages. Je venais d'échapper à un suicide télécommandé. Rien ne me surprenait plus, de toute façon, depuis ce matin funeste au Ritz où j'étais sortie de deux ans de coma, où j'avais compris que, d'une manière ou d'une autre, mon cerveau était sérieusement attaqué. Je me suis demandé ce que je foutais là, dans cette bagnole de location, à part redécouvrir la joie de me faire conduire, moi qui n'attendais plus rien, qui ne voulais plus rien attendre. Et puis j'ai compris que je cherchais simplement des réponses et la voiture s'est arrêtée devant un grand porche noir en fer forgé, au milieu du boulevard Haussmann.

Le type qui conduisait est sorti en même temps que moi. Il s'est adossé à la portière pour fumer une clope.

— Au fond de la cour, m'a-t-il jeté, en me dévisageant.

La porte était ouverte, je suis entrée dans l'immeuble.

— Eh, a dit le type, je suis là, je vous attends.

— Merci, j'ai dit.

— Je vous emmènerai où vous voudrez.

J'ai traversé la cour. Le sol était dallé, les lampes au bord de l'extinction, il flottait une odeur de bois humide et quelqu'un quelque part à l'étage au-dessus jouait au piano un morceau de Lou Reed, *Berlin*, et chantait faux.

Il n'y avait qu'une porte et de minces rais de lumière filtraient à travers les stores qui obstruaient les fenêtres grillées. « Sonnez et entrez ». Je n'ai pas sonné et je suis entrée.

C'était un bureau, qui ressemblait tout à fait à un

bureau. Il y avait un accueil, avec un téléphone et une brune vulgaire qui se limait les ongles. Un canapé en cuir noir. Une table basse avec des journaux dessus. Une machine à café. Un couloir sombre qui menait à des portes fermées.

— Vous êtes Manon ? m'a demandé la fille de l'accueil.

— Oui, j'ai dit.

— Il va vous recevoir dans quelques minutes. Asseyez-vous.

La fille a enfilé ses lunettes et son manteau. J'avais l'impression de la connaître.

— Je peux avoir un café ? j'ai demandé, alors qu'elle avait déjà la main sur la poignée de la porte.

— Bien sûr.

Elle s'est dirigée vers la machine et y a introduit une clef, puis une pièce, et comme rien ne tombait, elle a donné des coups sur le côté, du revers de la main et les coups résonnaient bizarrement dans le bureau vide.

— Ça arrive tout le temps, m'a-t-elle dit, avec un sourire gêné.

— Pas grave, j'ai répondu, et elle était déjà partie.

J'ai tourné en rond, pendant quelques minutes. J'ai fumé une cigarette. Je me suis inspectée dans le miroir. Il y avait une caméra de surveillance au-dessus de l'accueil, ce qui m'a dissuadée d'aller y fureter. J'ai attendu une demi-heure, sans vraiment savoir si quelque chose ou quelqu'un allait mettre un terme à cette attente. J'ai attendu quand même parce que je cherchais des réponses. Au premier, le type qui jouait *Berlin*, s'améliorait vaguement. J'ai jeté un œil sur la table basse : il n'y avait que des magazines d'économie en anglais et finalement, je me suis estimée heureuse de tomber sur un vieux *Match* de l'année dernière. Je l'ai parcouru, et je me suis souvenue de l'avoir déjà lu. Je m'ennuyais, alors je l'ai relu. J'ai relu le portrait d'un vieux chanteur, la critique d'un best-seller oublié, l'annonce d'une expo de Modigliani que j'avais ratée, les pronostics à propos d'une guerre qui avait eu lieu, et puis j'en ai vu la fin, et tout en regardant l'heure sur l'horloge murale, j'ai perçu plutôt que je n'ai vu mon visage en dernière page.

Je suis brune encore, les cheveux en pétard, l'air énervé. Je porte un bustier noir lacé, dont je sais immédiatement qu'il vient de chez Dolce, et Derek pose à mes côtés avec un sourire crispé. Derek pose à mes côtés, et a priori cette soirée devait être assez réussie, puisque je reconnais Britney Spears, Werner Schreyer, Miss France, Joey Starr et Dannii Minogue, l'air bourrés et défoncés dans des petits carrés. « Derek Delano et une amie », dit la légende sous notre photo, et dans la colonne de texte explicatif et démago, je lis : *« Le cœur du meilleur parti d'Europe ne serait-il plus à prendre ? Le milliardaire Derek Delano, rare depuis quelques mois déjà, a fini par apparaître, souriant et remarquablement accompagné à la soirée de lancement de son dernier jouet, un hallucinant téléphone portable graveur de DVD. Interrogé à propos de la mystérieuse jeune fille scotchée à son bras, il ricane quand on lui parle fiançailles et coupe court en rétorquant : "C'est en quelque sorte ma non-égérie".* »

J'ai jeté le magazine dans mon sac, avec le flingue et la pancarte « FIN », je n'ai pas cherché à savoir s'il y avait encore quelqu'un ou non dans ces bureaux bizarres, je m'en fichais, je cherchais des réponses ; je les avais trouvées.

— Change de métier, j'ai hurlé dans la cour au type qui massacrait Lou Reed et j'ai couru vers la sortie.

J'avais trouvé des réponses, presque toutes celles que je voulais, même des réponses à des questions que je ne me posais même plus, mais il y en avait une, la plus importante, qui subsistait, et cette question, je voulais la résoudre à tout prix, et cette question, c'était : « Pourquoi ? »

Le type écrasait une clope sur le trottoir, il était là, il m'attendait. Je me suis engouffrée dans la bagnole, j'ai claqué la portière :

— Au Ritz.

XVIII

ET LA MUSIQUE SE TAIT

DEREK — Je suis dans ma suite tout seul, et elle est dans un sacré état. Moi aussi.

Je me demande quel genre de mauviette décide du nombre de bouteilles de whisky qu'un minibar de suite de palace à je ne sais combien est censé contenir, mais je peux en témoigner, c'est une sacrée mauviette. Est-ce qu'on considère qu'il vaut mieux éviter de remplir le bar au-delà de la dose statistiquement tolérable chez l'alcoolique moyen ? Est-ce que par hasard on se méfierait des ravages que l'alcoolique moyen pourrait causer au mobilier pour peu qu'il soit un peu trop cuité ? On tient à son putain de mobilier, hein ? C'est ce que me disait ma mère et ma mère avait toujours raison : « Le désavantage de vivre à l'hôtel, c'est qu'on ne peut pas tout casser. » C'est pour cette raison qu'il faut posséder. Quand on possède quelque chose, on n'a de comptes à rendre à personne le jour où on décide de le jeter par terre, de sauter dessus à pieds joints, et de le finir à grands coups de couvercle de poubelle.

Ah la douceur d'un foyer... Quand vous vivez à l'hôtel, si votre femme vous trompe, vous quitte, vous bat, si vos enfants se prostituent, se piquent, tournent dans des snuff movies, décèdent de maladies vénériennes incurables ou d'accidents d'hélicoptères, ou de septicémies postavortement, ou d'une improbable autocombustion, ou simplement regardent trop la télévision aux heures de grande écoute, vous n'avez tout simplement *pas* la possibilité de vous taper une bonne cuite pour oublier, non, on vous refuse même cette consolation : vous êtes effondré, perdu, veuf, drogué, la vie n'a plus d'attraits pour vous, les mangas les plus sanglants vous évoquent *La Petite Maison dans la Prairie* en comparaison du drame qui vient de ruiner votre existence déjà peu glorieuse, vous errez, comme fou, cherchant éperdument à échapper au désespoir qui vous dévore, et que vous accorde-t-on, vers quoi pouvez-vous vous tourner, quel est votre unique et dernier recours ?

Une mignonnette de Jack Daniels.

Parce que si on vous laissait la possibilité de vous noircir dignement, vous en viendriez peut-être à des extrémités vandales telles que, par exemple, dépieuter les chaises et les consoles armé d'un couteau suisse pour en fabriquer des fagots et allumer un feu de camp au milieu du salon. Et pourquoi pas ? Vous venez de perdre toute votre famille dans une épidémie de peste bubonique, ou un crash aérien, vous êtes en ce moment même en train d'assassiner la salope dont vous êtes presque amoureux à votre façon, qui n'est pas celle des autres, ceci sans lever le petit doigt, puisque vous n'avez de toute façon jamais levé le petit doigt de votre vie, ce qui, à trente ans, commence à générer une sorte de complexe, et vous estimez avoir tout de même droit à un petit exutoire ?

Eh bien non. Des mignonnettes. Des putains de mignonnettes.

Même pas de quoi enivrer une groupie. Alors l'alcoolique moyen que vous êtes peut toujours aller se taper un pay-per-view porno dans le jacuzzi en attendant, je ne sais pas, que Dieu se manifeste ? Vous n'avez pas de famille, pas de foyer, vous vivez tout seul au Ritz, comme un malheureux et quand la solitude vous pèse : pas le choix, c'est porno, bulles et génuflexion.

Et si l'envie vous prenait de vous biturer, vous n'avez qu'à appeler le room service. Pour que le room service constate le feu de camp, constate ma petite installation technique, et l'état du piano et que je me fasse jeter de l'hôtel comme une banale star de ciné pour aller me terminer dans la rue avec une bande de jeunes. Pas si bête. Je n'appellerai pas le room service. De toute façon, j'ai jeté le téléphone par la fenêtre. Je m'en fous, j'ai plein de coke. Je m'en suis servi pour dessiner un visage humain sur la table basse grâce à un joli pochoir que j'avais. Pour l'instant, je n'ai tapé que le sourcil droit, et le menton. Tout à l'heure, le feu s'est propagé un peu sur les côtés, j'ai décroché les rideaux et j'ai étouffé le tout. Y a plus qu'un lamentable petit tas de cendres auréolé de noir au milieu du salon. Je fais les cent pas autour, ma bouteille à la main et je sais que je finirai par me la casser sur la tête avant qu'il fasse jour, parce que quand on est seul, pire que de n'avoir personne à aimer, on n'a personne sur qui taper. Je fais les cent pas autour, et j'écoute Mozart. Parce que Mozart, c'est beau ! C'est beau, mais ce n'est pas suffisant. Alors en plus du *Requiem*, qui est tout de même de circonstance, j'écoute aussi *Satellite Love*, de Lou Reed, et *Ne me quitte pas* repris par Nina Simone, et avec l'accent, et je chante par-dessus en l'imitant, parce que je suis un mec drôle, et *Souvenirs* de Gathering et *My girl* de Nirvana et un opéra de Puccini et *Creap* de Radiohead et les Chœurs de l'Armée rouge, *The unforgiven* de Metallica, et *The Future* de Leonard Cohen et *Don't cry* des Guns, et le Nocturne 48, et la BO de *Midnight Express* parce que je ne vaux pas mieux, et l'*Adagio pour cordes* de Barber, la totalité du dernier album de White Stripes et je ne sais plus laquelle de Marilyn Manson, et la BO de Kill Bill, *Tainted love* de Softcell, *La Chevauchée des Walkyries* de Wagner et de Gainsbourg, j'écoute

Manon. Manon, Manon, Manon. Manon à mort et plus fort que tout, parce que tel est mon état d'esprit à ce moment précis.

Je fais les cent pas, ma bouteille à la main et ma suite a l'air de l'arrière-scène de *Woodstock* ou du corner hi-fi de chez Virgin. Il y a vingt-trois chaînes dans ce salon, du plus bas au plus haut de gamme et autant d'enceintes qui hurlent à m'en péter les tympans, et ce qu'il y a d'amusant, de très amusant, c'est que tout ce génie ne ressemble plus à rien, à rien du tout, ou plutôt si, cette cacophonie, puisqu'il y a manifestement cacophonie, est l'expression exacte, me dis-je, l'expression exacte et exacerbée de ce que je ressens en ce moment. Je suis une cacophonie, je suis ce bordel, je suis une suite ravagée, je l'ai dévastée à mon image comme le parfait non-artiste que je suis et j'attends d'un moment à l'autre que Mirko, cet oiseau de mauvais augure, vienne m'apporter la nouvelle de la mort de Manon qui met décidément plus de temps que prévu à se suicider – je ne l'aurais pas imaginée si coriace. Et dans cet état atrocement jouissif de fusion psychique avec mon environnement extérieur et d'expectative – l'expectative étant l'unique manifestation admise par moi de l'idée saugrenue de bonheur – une ombre, une ombre, une simple petite ombre au tableau, c'est que je ne peux pas y contribuer, à la partouze. La partouze auditive, j'entends. Que dis-je la partouze ? Le gang bang auditif. Et s'il y a gang bang, et que je ne suis pas couvert de sueur et la queue à la main, sur le point de me jeter dans la mêlée pour bourrer la victime, c'est que la victime, c'est moi. Je suis la victime : j'ai les jambes écartées, les nerfs en feu et la tête sur le point d'éclater, et mon piano a rendu l'âme. Ouais mon piano a rendu l'âme, sinon je pourrais me jeter dessus et contribuer à la partouze cacophonique, mais il y a un quart d'heure, je l'ai défoncé à coups d'extincteur. Il gît dans un coin, maintenant, le pauvre piano, comme un tas de boue, et c'est presque une joie pour moi que de le voir là, hors d'usage, massacré, piteux, muet pour toujours et je dis :

— Alors traître, renégat, saloperie, tu as fini de me narguer, maintenant ?

Et quand je donne des coups de pied dedans histoire d'allier le geste à la parole, il gémit lamentablement, comme pour demander grâce, il gémit des fausses notes et je coupe la musique pour mieux l'entendre agoniser.

— Tu es la plus énorme merde, le déchet le plus puant, la pire raclure, la bestiole la plus abjectement nuisible et minable qui aies jamais recraché son oxyde de carbone sur cette planète ratée qu'on appelle la Terre.

C'est le fantôme de Manon qui vient de passer la porte.

— Tu n'es qu'une hallucination due à tout le

liquide composé d'alcool à 40° que je viens d'absorber et tu t'évanouiras dès que les effets cesseront.

— Et ça, c'est une hallucination, connard ?

Je me prends son poing dans la gueule et au moment où mon œil éclate, avant même de voir trente-six chandelles, je sais que quelque chose a dû déconner et que non seulement elle n'est pas morte, mais qu'en plus elle a dû apprendre je ne sais quoi, parce qu'elle a l'air légèrement exaspérée, et armée en plus.

— Ma non-égérie, hein ? Je t'en foutrais des non-égéries, salaud, ordure, minable !

— Chérie, calme-toi, la violence n'a jamais été une solution pour qui que ce soit. Trop de violence conduit en général à des actes irréversibles et qu'on passe ensuite toute une vie à regretter. Alors pose ce revolver et discutons calmement comme deux ex-civilisés contents de se retrouver bien que n'ayant plus grand-chose en commun.

— Je ne suis pas *contente* ! hurle Manon avant de tirer dans le miroir au-dessus de la cheminée.

— Manon, chérie, ce miroir ne m'appartenait pas, il appartenait à l'hôtel Ritz. Je me fous donc totalement qu'il soit en mille morceaux, ce que tu viens de faire lèse un hôtel innocent qui ne t'a jamais rien fait, c'est donc un acte gratuit et mesquin et pour t'éviter d'autres actes gratuits et mesquins, je te conseille de poser cette arme.

— Ah oui ? Et le directeur qui m'a traitée de pute

camée et m'a fait foutre dehors par deux malabars le jour où tu m'as lâchement abandonnée ?

— C'était des figurants, chérie, des figurants que j ai rétribués et briefés pour qu'ils te traitent de pute camée et te foutent dehors.

— Alors c'était ça ? C'était bien ça ? murmure-t-elle, en état de choc.

— Et remarque bien qu'ils ne t'ont fait aucun mal quand ils t'ont sortie, et ceci, uniquement parce que je le leur avais recommandé.

— Alors, c'est bien toi qui as tout manigancé ? Depuis le début ? Depuis toujours ? elle continue de murmurer et son flingue tremble dans sa main.

— Oui, je réponds simplement.

— Vanity ? demande-t-elle.

— Vanity m'appartient.

— Le shooting ? New York ? Le *Vogue* italien ?

— Enfin chérie, tu peux imaginer que ce n'est pas bien compliqué d'acheter deux gros appareils photo, des tenues à la con et trois ventilos.

— Mais *Vogue* ?

— Un faux-monnayeur, une imprimerie, un peu d'astuce.

— Mes pubs ?

— Idem.

— Werner Schreyer ?

— Un sosie.

— Les affiches ?

— Ce n'est pas compliqué de coller une affiche.

— Pfft, dit-elle, j'aimerais bien t'y voir, en train de coller une affiche avec ton seau de glu et ton pinceau, mon pauvre Derek.

Je ne réponds pas, puisqu'elle a raison.

— Et les soirées, reprend-elle, toutes ces soirées où on allait.

— Des sosies, chérie, je viens de te le dire.

— C'était tous des sosies ? Tous ? Et... tu leur as fait croire ce que tu m'as fait croire, que j'étais une star, un top model, tout ça ?

— Bien sûr que non.

— Mais... Ils venaient me lécher les bottes... Ils me parlaient de... Gregg Araki ?

— Ils avaient un texte, enfin Manon, je ne suis pas stupide, j'ai pensé à tout.

— Mais le film ?

— Le frère de Karénine. Un sosie d'Adrien Brody – mon ex soit dit en passant – un bon garçon, ce Costa.

— Cinecittà ?

— Dix mille dollars la journée.

— L'équipe ?

— Une bande de délinquants qui ne bossaient plus.

— Tchekhov ?

— Il est mort il y a bien longtemps.

— Mais ce film, il est bien quelque part, il y a bien des rushes ?

— Mais ma pauvre enfant, il n'y avait pas de pellicule.

— Pas de pellicule ?

— Pas de pellicule dans les caméras. Elles tournaient à vide, comme toi.

— Et ma promo ? Les journalistes ?

— Figurants.

— Alors ce matin-là… quand je me suis réveillée, je n'avais pas rêvé…

— Bien sûr que non.

— Et cette affiche, cette affiche : Dignité, c'était toi, encore toi ?

— Oui, c'était une sorte de conseil d'adieu. D'ailleurs, le moins qu'on puisse dire, c'est que tu n'en as pas vraiment tenu compte.

— Et les photos chez moi ? Le bordel ? Les mégots dans les cendriers ?

— J'ai collé les photos, j'ai mis un peu de bordel, j'ai fumé les mégots.

— Le restaurant ? Sissi ? L'Ordure ?

— Figurants catégorie 1, trois mille euros par mois.

— Et je croyais que j'étais schizo…

— C'est normal, chérie, si ça peut te rassurer, n'importe quel être humain normalement constitué y aurait cru pour moins que ça.

— Et le théâtre ?

— Alors ça, je n'y suis pour rien, tu t'y es foutue

toute seule dans ton truc porno. Chassez le naturel, il revient au galop.

— Et tout à l'heure ? Les gens dans la rue ? Le bus ? Les insultes ? Les tags ? Le flingue ?

— Quel flingue ? je dis.

Elle me l'agite sous le nez en me menaçant : « Celui-là, connard ! »

— Ça va, je marmonne, j'essayais simplement de détendre l'atmosphère.

— Et mon père ? Où est mon père ?

— Ton père, ton père, j'en sais rien où est ton père et dis donc, pendant deux ans de dolce vita en ma compagnie et surtout à mes frais, le moins qu'on puisse dire, c'est que c'était le cadet de tes soucis, ton père.

— J'ai failli me tirer une balle, putain ! Derek !

— C'était le but, mais a priori, quelque chose a foiré. Qu'est-ce qui a foiré d'ailleurs ? Je ne comprends pas, j'avais pensé à tout. Un mois de préparation pour cette scène, un subtil crescendo dans le harcèlement moral, la musique, la fausse pluie, le père décédé… Parfait, génial, inspiré. Hein ? Qu'est-ce qui a foiré ?

— Pourquoi, Derek ?

— Pourquoi quoi ?

— Pourquoi tu m'as fait ça ?

— C'était le script. J'ai suivi le script.

— Quel script ?

— Le non-script, celui du non-film. Tu sais

Manon, tu n'es pas sortie deux ans avec un loser, j'ai inventé un art, figure-toi. J'ai inventé le non-cinéma et tu étais bien ma non-égérie, comme j'ai dit à *Match*. Ce n'était pas une blague.

— Derek, tu es dingue, dit-elle dans un chuchotement.

— Il arrive parfois, c'est vrai, que le génie s'égare aux confins de la folie...

— Tu es plus que dingue, tu es bon pour la cami sole... ajoute-t-elle un peu plus fort.

— Eh, tu t'es vue ?

— Les types comme toi, il faut les enfermer reprend-elle, et je trouve qu'elle se répète, et en haussant le ton, encore.

— Espèce de pauvre taré ! Tu as gâché ma vie !

— N'exagérons rien.

— Pourquoi ! Pourquoi Derek ?

Elle tire au hasard et tout à fait hors de propos et le vase à coke explose.

— Pourquoi pas ? je réponds

— Pourquoi Derek ?

Elle m'attrape par les coudes et ses yeux fluo me supplient et je redeviens sérieux tout à coup.

— A cause... de l'ennui.

— A cause de l'ennui... C'est à cause de l'ennui que tu as gâché ma vie ?

Elle hurle carrément, et j'envisage d'appeler la sécurité, au lieu de ça, je me jette à ses genoux.

— Je sais, chérie, mais je voulais... juste un peu

de... cinéma dans ma vie... et puis si tu m'avais aimé, tout aurait été différent.

— Ah parce que c'est de ma faute en plus ?

— Je voulais détruire quelqu'un... comme ça juste pour voir. Je trouvais ça... distrayant...

— Distrayant.

— Alors je t'ai choisie. Et le non-film a commencé.

— Arrête de m'embrasser les genoux, tu me dégoûtes.

— Et je suis tombé amoureux de toi, et j'ai voulu tout arrêter, mais c'était trop tard, j'avais déjà écrit le script. Le script était parfait, je ne pouvais plus y toucher.

— Arrête de m'embrasser les genoux, je t'ai dit.

— Tout ce que j'ai fait, c'est suivre le script.

— Tu me dégoûtes, murmure-t-elle

— Manon, je t'en supplie, pardonne-moi, redonne-moi une chance, on n'a qu'à tout recommencer depuis le début, comme si rien ne s'était passé : je t'emmènerai chez Chanel, je te donnerai le premier rôle dans le prochain Karénine, le vrai, on se mariera à Las Vegas, on fera des enfants surexposés, on sera célèbres et heureux !

— Va te faire foutre.

— Je te ferai vivre dans un clip... Hein chérie, tu vivras dans un clip, comme tu l'as toujours rêvé.

— Va te faire foutre j'ai dit !

Elle me décoche un coup de genou dans les

mâchoires et je tombe en arrière en plein sur la télécommande qui actionne mes vingt-trois chaînes hi-fi, et elles se remettent en marche au son maximum, et la cacophonie reprend, Manon sursaute et je me redresse comme je peux, et j'essuie le sang qui coule de ma bouche et je lui dis qu'elle n'a que ce qu'elle mérite.

— Pardon ? demande-t-elle

— Parfaitement, tu n'as que ce que tu mérites. Qu'est-ce que tu crois, Manon ? Que je suis la pire chose qui te soit arrivée ?

— Eteins-moi cette musique !

— Non ! je hurle, non, tu ne t'en tireras pas comme ça, je hurle en me relevant, tu ne me feras pas porter le chapeau ! Tu t'amènes ici avec ta gueule ravagée, ton six-coups à la main, et tes reproches à la con ! Tu tires dans les miroirs et dans les vases ! Tu casses le matériel ! Tu me jettes ton père à la gueule ! Ta vie gâchée ! Fallait rester dans ton bled, ma poule ! Je ne serais pas venu te chercher.

— Eteins-moi cette putain de musique, Derek !

— Tu voulais être une star ! Tu voulais la belle vie ! La belle vie je te l'ai donnée, mais le monde ne voulait pas de toi. Alors j'ai transformé le monde. Hein, c'est pas beau, ça ? Et je voudrais que tu me cites une personne...

- · Eteins-moi-cette-musique !

— Tais-toi. Ne m'interromps pas quand je

parle, je déteste que tu m'interrompes quand je parle, tu me coupes toujours la parole quand je parle, tais-toi pour une fois ! Donc, je disais que je voudrais que tu me cites une personne sur cette terre qui aurait fait ça pour toi ! J'ai crée un monde pour toi, Manon, pour que tu t'y sentes bien ! Et tu dis que j'ai gâché ta vie ! Mais, ma poule, j'ai gâché ta vie le jour où j'ai décidé d'en sortir. Et si tu m'avais aimé, je n'en serais jamais sorti.

— Donne-moi la télécommande.

— Non, c'est *ma* télécommande. La vérité, Manon, c'est que tu n'es qu'une sale petite créature de clip.

— C'est faux !

Elle tire dans une enceinte, et le *Requiem* se tait.

— Tu n'es qu'une sale petite vicieuse, une sale petite starfuckeuse sans foi ni loi ! Tu tuerais père et mère pour tourner dans un sitcom ! Tu coucherais avec Elephant Man si Elephant Man était un réalisateur bankable ! Tu vitriolerais la gueule de ta sœur si ta sœur décrochait un casting à ta place !

— J'ai pas de sœur !

Elle tire dans une autre enceinte et les Walkyries s'arrêtent de chevaucher.

— Et ton Argentin, c'était un bon coup, salope ?

— Quoi ?

— Ton Argentin, ton joueur de polo qui t'a tirée comme une pute à l'arrière de sa Lambo de loc ?

— Oui, c'était un bon coup, un très bon coup, le meilleur de ma vie, j'ai hurlé cette nuit-là, Derek, j'ai réveillé tout Monaco !

— Ah oui ? je dis, et ma diversion a fonctionné parce que tout en braillant des insultes j'ai atteint le fauteuil sur lequel est posé mon imper et dans la poche intérieure droite de mon imper, il y a mon flingue.

— Ah oui ? Répète-moi ça, je demande en lui sortant l'objet.

— J'ai eu trois orgasmes vaginaux !

— Trois ?

— Trois.

— C'est faux, je hurle, tu es frigide !

Je tire dans une enceinte et Lou Reed se tait.

— Je ne suis pas frigide, répond-elle, et elle tire dans une autre enceinte et Kurt Cobain se tait.

— Arrête de tirer dans les enceintes ! Je hurle avant de tirer moi-même, par réflexe dans celle qui diffuse les Guns et les Guns se taisent.

— Non, répond-elle, et elle allie le geste à la parole et les Chœurs de l'Armée rouge se taisent et comme il y a beaucoup moins de bruit, je peux parler sans crier.

— Tu sais, j'ai beaucoup souffert quand j'ai su pour l'Argentin.

Elle soupire.

— Tu n'as pas un peu de coke ?

— Si, sur la table, il reste un sourcil. Le gauche.

Elle s'agenouille devant la table et relève ses cheveux avant de sortir une petite coupure élimée de la poche de son jean. Elle roule le billet, les yeux baissés et ses gestes sont empreints de lassitude et je me sens soudain infiniment triste.

— Tu veux un billet de cinq cents, j'en ai plein ?

— Non, ça ira, c'est très gentil, merci, répond-elle avant de s'envoyer la bouche, le nez et les deux yeux.

— Eh, t'as une sacrée descente, maintenant, je dis, admiratif.

— Merci, répond-elle modestement, l'habitude. T'as rien à boire ?

Je lui tends la mignonnette presque vide.

— Ah ces putains de mignonnettes, me dit-elle, je me demande bien quelle est la putain de mauviette qui les a inventées.

Puis elle boit au goulot, et quand elle repose la bouteille, elle me regarde avec une expression étrange et je vois qu'elle pleure.

— Pourquoi tu pleures ? Je demande.

— Derek, as-tu la moindre idée du sens du mot « gâchis » ?

Je cherche, mais malgré tous mes efforts, je n'en ai pas la moindre idée.

— Je n'en ai pas la moindre idée.

— Irréversible ?

— Un film plutôt génial.

— Derek… tu joues encore au con ?

Comme je ne sais pas quoi dire, je me contente de m'agenouiller à ses côtés et je lui prends sa paille des mains et je tape la quasi-totalité des cheveux. Je renifle un grand coup, et juste avant d'imploser je caresse ceux de Manon, et nous échangeons un regard, un simple regard, lent, fluo, éternel et dans ce simple regard, il y a notre première rencontre, et son innocence, et tous ces fantômes entre nous, il y a le martèlement de talons hauts sur le parquet qui se sont tus, il y a le sens évident du mot « gâchis » et le sens encore plus évidemment insoutenable du mot « irréversible », il y a que ce n'est pas dans le script, et que finalement, je m'en fous, il y a ma sonate inachevée et le cadavre d'un piano, il y a notre histoire inachevée et un cadavre aux yeux fluo, il y a même un brouillard de larmes et plus encore que ce que nous avons vécu, il y a tout ce que nous n'avons pas vécu.

Elle porte la main à son visage et essuie les traces de cocaïne comme elle essuierait une larme et il y a un je ne sais quoi de définitif dans son geste – c'est une femme, maintenant – et comme je déteste craquer devant une femme, je remets mes lunettes de soleil, et Manon me fixe incrédule, puis se détourne brusquement de moi, et se lève, lasse comme une vieille carne, elle piétine sur place et regarde en l'air, les mains jointes sur le flingue comme si elle implorait – quoi ? Le lustre ? Et puis les coups partent, et je crois que je suis mort, qu'elle aussi, et tant mieux, mais je rouvre les yeux, et elle a simplement tiré au hasard, sans doute pour se défouler, et il y a de quoi, et c'est au ralenti que je vois la porte d'une penderie se dégonder et glisser à terre avec fracas, et la penderie bourrée à craquer commence à dégorger lentement son contenu, et je me dis : « et merde » et les photos se mettent à pleuvoir autour de nous gracieusement ballottées de ventilo en ventilo, et l'une d'entre elles volette – évidemment – jusque dans la main de Manon, et je reconnais celle du *Vogue* italien, la première, et Manon la ramasse, et la fixe comme si elle la voyait pour la première fois et puis la chiffonne dans sa main, la broie plutôt, l'air mauvais et je n'aurais pas aimé être à la place de cette photo. Et puis Manon, qui se prend décidément pour un dérivé de Lara Croft, tire dans l'autre penderie, et dans celles qui lui font face, et trois portes tombent, les unes après les autres, et les photos volent, pleuvent, tournoient, et l'air en est saturé, le parquet en est jonché, et j'avais oublié qu'il y en avait une telle quantité, et Manon virevolte pour les saisir et ressemble à une gamine sous la neige qui tente bêtement d'attraper des flocons qui lui fondront dans la main, ou encore à une folle perdue, mais le plan n'est pas mal.

Et puis Manon se retourne vers moi, d'un mouvement précis, millimétré, stroboscopique, et ses yeux aussi sont stroboscopiques et elle bouffe l'écran, et d'un geste précis, millimétré, elle allonge le bras vers la musique, et tire encore, et *Souvenirs* se tait, et elle tire et Leonard Cohen se tait, et elle tire et les White Stripes se taisent, et l'*Adagio* se tait, et Gainsbourg se tait, et Marilyn Manson se tait, et *Midnight Express,* et Softcell, et Metallica, Puccini, Radiohead, Nirvana et Chopin, tout le monde se tait, et après le massacre, il n'y a plus de musique, à peine, plus que Nina Simone en fait qui chante *Don't let me be misunderstood*, plus que Nina Simone, Manon et moi.

Et d'un geste précis et millimétré, Manon s'empare de la télécommande et monte le son au maximum, sans doute parce qu'après toutes ces détonations, elle ne doit vraiment, vraiment plus rien entendre et puis elle me braque et me demande de reculer.

— Recule, dit-elle.

— Eh, je réponds, tu sembles oublier un petit détail, c'est que moi aussi, je suis armé.

— Recule, dit-elle.

— D'ailleurs, je précise, mon flingue est mieux que le tien.

— Recule, dit-elle, et ce qui me glace le sang pour la suite, elle ajoute avec un cynisme dont je ne la savais pas capable : je cadre. Recule.

Et je recule.

— Tu voulais juste un peu de cinéma dans ta vie, Derek ? demande-t-elle.

— En fait je…

— Tu voulais du cinéma ? elle hurle.

— Ouais, je dis, ouais exactement.

— Le décor te convient ? La lumière ? La musique ? Ça va ? Tu te sens à l'aise ?

— Je... ne suis pas maquillé.

— Alors moteur ! elle hurle. Action !

Elle se rapproche de moi.

— Regarde la caméra !

— Quelle caméra ? je demande.

— C'est ça la caméra !

Elle me braque le flingue en pleine gueule.

— Ah, d'accord, je dis, OK, je vois.

— Et maintenant souffre !

— Pardon ? Je demande.

— Souffre ! Tu interprètes quelqu'un qui souffre. Ton personnage a manipulé un être humain innocent, l'être humain innocent s'est retourné contre lui. D'ici quelques secondes, ton personnage sera torturé et exécuté. Ton personnage vit ses derniers instants. Tu dois donc trembler, gémir, hurler, supplier, demander grâce. Maintenant. Et un peu de conviction s'il te plaît.

— Ah, bon, je dis, d'accord, j'ai compris, aaaah !

— C'est nul, dit-elle, comme si elle aurait fait mieux.

— Euh, tu sais, moi, l'impro...

— ON NE MANIPULE PAS LES ÊTRES INNOCENTS IMPUNÉMENT !

– Ah ?

— SOUFFRE !

— Aah ! je dis. Aah, euh, épargne-moi, Manon !

— C'EST NUL ! TU ES NUL !

— Oui, ben, je te l'avais dit.

— Et comme ça ?

Elle me tire dans la jambe et je pousse un hurlement.

— C'est pas mal. C'est mieux. Tu vois, avec un peu de direction d'acteur, ce que tu es capable de faire ?

Je hurle :

— Ça va pas, non ? T'es dingue ?

— Ce n'est pas dans le script Derek, respecte le script un peu. Tu n'es pas censé me demander si je suis dingue : je t'ai dit de gémir, hurler, pleurer, supplier. Alors FAIS-LE !

Et elle tire dans mon autre jambe et je hurle encore plus fort et je vois du sang se répandre sous moi sans parvenir à imaginer que c'est mon propre sang.

— Bien, génial, t'es dedans, tu vois que tu peux le faire ? Allez pleure maintenant, je veux un gros plan de ta sale gueule pleine de larmes avec tes lunettes de soleil ridicules ! Pleure ! PLEURE CONNARD !

Et elle me tire dans le genou. Alors je tire à mon tour, et la balle effleure son épaule, et je vois un peu de sang gicler, et elle éclate de rire et dit :

— Raté !

Et elle me tire dans le bras, et dans l'autre genou, et ce putain de sang qui n'est pas le mien coule à flots, et je rassemble tout ce qui me reste de forces en remerciant mes démons de m'avoir fait taper suffisamment de coke pour supporter cinq putains de balles dans le corps et j'ai envie de vomir et je tire à mon tour et je la manque, et je tire encore, et encore et encore, jusqu'à décharger mon flingue et je l'entends rire encore, et puis crier et je crois que je l'ai touchée, mais elle continue de rire et je ne vois plus grand-chose, et je ne sens plus grand-chose, juste mon doigt qui presse la gâchette à vide, et juste Manon qui s'approche avec une pancarte à la main et qui me la jette à la gueule en gueulant : « Retour à l'envoyeur, connard ! » et je crois qu'en plus de ça, je suis en plein speed ball et j'ai cette idée « survie », qui s'évanouit immédiatement, balayée par la musique, que j'entends encore, j'entends encore Nina Simone, et je ne suis déjà plus là, je suis sur la Côte en plein passé, et j'appuie sur l'accélérateur, le soleil se lève et j'ai pas dormi, et je respire le parfum de Manon, Dolce Vita, chargé d'odeur de clope et de la moiteur de la nuit, mêlé à celle du café, et c'est la plus douce odeur du monde, et je me dis que je vais choper d'horribles marques de bronzage si je roule jusqu'à Saint-Tropez, décapoté dans ce t-shirt à manches courtes avec ce soleil qui tape, et son éclat me ripe au visage quand je baisse mes lunettes noires pour mieux contempler les couleurs du matin sur le visage de Manon, et on file à toute allure, à travers les pins et les travaux, débraillés, planants, et le moteur ronfle quand je ralentis pour allumer une clope que Manon m'arrache des mains, et la mer crame dans le rétro, et on est si jeunes et si beaux et Nina Simone chante, et Manon aussi chante, et putain ce que je suis heureux, mais non Manon ne chante pas, Manon hurle, Manon gémit et il fait nuit, et je suis si désespérément immobile, je n'ai jamais été aussi immobile et je n'essaie même plus de bouger, et je n'essaie même pas de pleurer, Manon hurle : « Et maintenant crève », et je ne sais pas exactement dans quel ordre j'entends trois détonations successives, en percevant même la douleur en plus aux tympans, presque en même temps qu'au poumon et le carton rêche sur ma poitrine se macule de ce sang qui n'est pas le mien, jusqu'à noyer le mot « FIN » et je crois que c'est moi qui l'ai écrit, jusqu'à noyer ma gorge aussi et respirer est un supplice et tout est un supplice, plus pour longtemps, plus pour longtemps, je me dis, il n'y a plus de soleil, plus de musique, plus de vitesse, l'arrêt brusque, qu'est-ce qui se passe, mes doigts crispés sur le volant se détachent et retombent, le rétro se teinte d'une mer de sang, il fait noir, je souffre, et la musique se tait, le silence, l'obscurité, la souffrance, le silence l'obscurité… l'obscurité… plus rien, plus que Manon, et je ne sais pas comment est-ce que, dans cet état, je réussis à dire si clairement et distinctement :

— Je préfère mourir de ta main que vivre sans toi… Et franchement, ma poule, tu m'enlèves un grand poids.

XIX

RIDEAU, RAPPEL

MANON — Au début, je n'ai rien entendu d'autre qu'une vibration sourde, semblable au bruit qu'il y a sous l'eau ou au tremblement des vitres quand une voiture rompt le silence des rues désertes à l'aube. J'ai cru que mes sens me jouaient des tours, après toutes ces détonations, après ce que je venais de faire. Et puis la vibration s'est muée en une clameur familière, que, sous le choc, je n'ai pas identifiée tout de suite. Je me suis arrêtée de courir. Il n'y avait personne dans le couloir. C'étaient des applaudissements.

La clameur a enflé, s'est propagée, jusqu'à devenir un vrai boucan, j'ai entendu quelqu'un siffler, bientôt imité par d'autres, et puis un bravo a fusé, et un autre, et un autre et les applaudissements ont redoublé. Cinquante personnes au moins, quelque part dans cet hôtel, tapaient des pieds, hurlaient et frappaient leurs mains l'une contre l'autre à s'en faire mal. Une porte s'est ouverte, et la suivante aussi, et toutes les portes de l'étage, et une foule de gens en sont sortis, et tous applaudissaient, et la foule a formé un cercle autour de moi, et tous me regardaient et je crois que c'était moi qu'ils applaudissaient. Un type qui portait un micro a brandi une bouteille de champagne, j'ai entendu un bouchon sauter et la foule s'est pressée autour, et tous portaient un micro ou une oreillette ou un attirail quelconque, et tous tendaient un verre en plastique. Et le type à la bouteille s'est avancé vers moi et m'a tendu un verre. Il était laid, insignifiant, bien habillé, mieux habillé que les autres, et moi, j'avais toujours mon flingue à la main. Le type m'a dit « Bonsoir », et il roulait les « r » comme un tapin moscovite, puis il a ajouté « Venez, je vais vous montrer quelque chose », et m'a prise par la taille, la foule s'est écartée sur notre passage et nous sommes entrés dans la suite d'en face. L'entrée était exactement semblable à celle que j'avais l'habitude de franchir chaque soir à l'époque lointaine où je vivais avec Derek, avec son grand miroir au-dessus de la commode sur laquelle je balançais mon sac violemment, puisqu'à l'époque, j'avais toujours une mauvaise raison d'être violente, et c'est dans le miroir que j'ai aperçu Derek.

J'ai cru mourir de trouille, je me suis retournée et j'ai fait quelques pas. Ce n'était pas Derek, bien sûr, Derek refroidissait tranquillement à deux ou trois cloisons de là, et ne reviendrait pas, excepté pour hanter mes cauchemars. Non, c'était son effigie de carton, grandeur nature, en costume noir, avec cet air con qu'il affectait toujours pour couper court aux conversations qui le dérangeaient. Derek en pied, un cigare en carton dans sa bouche en carton, et derrière le panneau, condamnant les fenêtres, emplissant la pièce, il y avait trente, peut-être cinquante Derek, cinquante Derek sur pause. Derek en imper, mal rasé dans un café glauque, la gueule défaite, tenant son verre à cognac entre deux doigts, comme s'il s'était trouvé dans je ne sais quel club. Derek au Market, je crois, entouré de poules, allumant un cigare avec un billet de cinq cents, Derek devant le plasma en train de regarder *The Killer* avec les sous-titres cantonais pour sourds et malentendants, tapant un peu de coke sans grande conviction. Et j'étais sur pause aussi. Brune sur pause, avec cette sacrée robe rouge qu'il faudrait que je foute au feu un de ces quatre, à l'avant-première de *Superstars*, j'embrassais Derek sur pause, je baisais avec Derek sur pause, je me démaquillais sur pause, je bronzais sur le bateau en maillot Pucci sur pause, je remontais Madison sur pause, avec Mirko sur mes talons en train de porter mes paquets, je déclamais *La Mouette* sur pause avec, à l'arrière-plan, cette ordure de Karénine II en train de bien se foutre de ma gueule au combo, je dormais sur pause, je pleurais sur pause. Il y avait cinquante putain d'écrans dans cette salle, et des mégots ecrasés dans des verres en plastiques pleins de café froid, des sandwiches à moitié bouffés abandonnés sur les fauteuils, et une console informatique délirante.

Et venant de nulle part, j'ai entendu ma voix hurler : « Et maintenant crève ! » et trois détonations successives. Et sur le cinquantième écran, le seul en mouvement, j'ai vu Derek agoniser, avec ses lunettes de soleil, et sa pancarte « FIN », et j'ai murmuré : « Arrêtez ça. »

Et le type aux commandes s'est retourné en disant : « Oh non, pas elle ! » et j'ai reconnu Mirko.

Et la fille aux commandes s'est retournée en disant : « Stanislas, tu ne me présentes pas ? »

Et j'ai reconnu cette brune à lunettes qui m'avait fourgué en douce une bouteille entière de champagne dans l'avion pour New York.

Et sur l'un des écrans, j'ai vu Derek dans le noir, assis à son piano, débile et prostré, avec une photo de moi en guise de partition.

XX

DEREK LE MILLIARDAIRE

MANON — *C'était un projet gigantesque. Stanislas Vojnikodjakovic le producteur en avait eu l'idée il y a presque dix ans quand il était encore à l'université, dans la même section que Derek. Tous deux se connaissaient depuis l'enfance et avaient été très liés. Les raisons pour lesquelles ils s'étaient perdus de vue ? Stanislas a préféré ne pas me les révéler.*

A la fin des années 90, à l'émergence du phénomène télé-réalité, Stanislas, qui travaillait à l'époque dans une banque d'affaires new-yorkaise orientée vers la spéculation dans les secteurs des médias et de l'entertainment, présenta sans grand espoir son vieux projet à l'un des décisionnaires d'une chaîne de télévision américaine. Séduit par le caractère cynique et visionnaire de l'idée de Stanislas, poussé par le pressant besoin d'un argent destiné à renflouer son studio à la ramasse, cet homme, qui préfère conserver l'anonymat, acheta son idée à

Stanislas pour une somme dont j'ignore le montant exact, mais qui selon les pronostics de la presse économique se chiffre en dizaines de millions de dollars, sous réserve de l'obtention par Stanislas d'une autorisation de diffusion en bonne et due forme signée de la main de Derek ou bien sûr de ses ayants droit en cas de sinistre.

Sans cette autorisation, Stanislas aurait dû restituer la totalité du minimum garanti sans compter de substantiels dommages et intérêts à la chaîne.

Il risquait gros, la chaîne aussi.

Le projet fut budgété à trente millions – hors la rétribution de Stanislas, ce n'était pas grand-chose. D'autant qu'il était coproduit par la France où l'émission devait se dérouler pour la plus grande partie, le Royaume-Uni, Hong-Kong, le Japon, l'Allemagne et le Venezuela où la famille de Derek s'était fait beaucoup d'ennemis. Stanislas, qui sut convaincre les investisseurs de sa volonté et de son efficacité, eut carte blanche. Les trente millions furent consacrés officiellement à la location du matériel, au salaire des techniciens et à la promotion. Officieusement, une grande partie du budget servit à corrompre l'entourage de Derek, en particulier son premier valet : Mirko. Des caméras vidéo haut de gamme ainsi que des micros longue portée furent disposés dans la suite de Derek : derrière les miroirs, sur les balcons, à la place des caméras de surveillance, ainsi que dans les vingt-six voitures de

Derek, sa maison de Saint-Tropez et même la salle de conférences de sa société à laquelle il ne se rendait jamais et ce malgré la résistance de ses actionnaires qui redoutaient l'éventualité d'un espionnage industriel. Heureusement, Derek aimait les pièces bien éclairées. Chaque fois que Derek devait se déplacer, Mirko qui cumulait à la fonction de larbin, dealer, rabatteur, celle d'agent de voyage censé réserver les hôtels, les avions ou faire en sorte que le jet soit prêt (le pilote du jet étant bien évidemment dans la combine), Mirko donc avertissait suffisamment tôt Stanislas pour que celui-ci puisse envoyer une équipe. En cas de départ imprévu, les deux cameramen qui pistaient Derek vingt-quatre heures sur vingt-quatre avaient pour instruction de ne pas le perdre quoi qu'il arrive, fusse au bout du monde. Tous les individus susceptibles de croiser Derek ou de lui parler devaient porter en permanence un micro. Les têtes de tous les lits où Derek était susceptible de dormir dans le monde en étaient truffés. Grâce à ça, j'ai pu m'entendre baiser. C'était amusant. Grâce à ça, j'ai aussi pu apprendre que Derek ne m'avait jamais trompée.

Le tournage avait débuté un soir d'automne, il y a deux ans, dans un café glauque près de l'Opéra, tenu par un couple d'anciens théâtreux : Albert et Lullaby. Ce qui ne devait être qu'un essai, qu'un pilote s'est révélé si concluant que la séquence obtenue ouvre le premier épisode dans le montage final

Le dernier épisode s'achève aux derniers mots de Derek, après que je l'ai abattu ce soir-là.

Au final, de deux ans de tournage et une masse impressionnante de rushes dont la plupart se sont révélés inutilisables, Stanislas n'a tiré que trois films de cent vingt minutes chacun, destinés à être d'abord exploités en salle, puis à être de nouveau divisés en dix-huit épisodes de vingt minutes qui cette fois-ci seront diffusés en exclusivité aux Etats-Unis le dimanche en seconde partie de soirée, puis en France, puis dans les pays partenaires, sous le titre DEREK LE MILLIARDAIRE.

A l'origine, ce qui a poussé Stanislas à se battre pour faire exister ce projet, c'était son désir méritant de rendre au concept de real TV sa charge initiale de vérité, vérité dont tous les dérivés du genre s'éloignaient chaque jour davantage, en vendant comme naturelles et spontanées les réactions d'individus parfaitement conscients d'être filmés. Derek et moi ignorions que nous étions filmés et c'est ce qui confère au programme toute sa sincérité, ainsi qu'une réelle valeur documentaire à travers les sphères dans lesquelles nous évoluions et la vie hors du commun que nous menions.

Outre ce challenge, qui comportait le risque non négligeable d'un refus de diffusion de notre part, et la perte sèche de trente millions de dollars, Stanislas a tenu à faire de DEREK LE MILLIARDAIRE *dans la mesure des moyens dont il disposait un véritable long métrage de cinéma avec les qualités techniques et scénaristiques que cela implique. Confiée aux meilleurs techniciens, dotés du meilleur matériel, la trilogie a pu être post-produite dans les meilleures conditions possibles. Pari tenu : grâce à un montage étudié, la version finale de ce qui n'était au départ qu'une simple tranche de vie n'a rien à envier aux scénarios les plus ingénieux d'Hollywood. Quant à ses qualités visuelles et sonores, bien que ne pouvant prétendre concurrencer celles des longs métrages tournés dans les conditions habituelles, elles sont néanmoins largement au-dessus de ce qu'on pouvait attendre d'un programme télé.*

Une promotion délirante débutera ces jours-ci, en prévision de la sortie en salle. Elle sera assurée par Stanislas, bien entendu, Mirko, et moi-même. Mon plan média est digne d'une star mondiale, je suis overbookée pendant les trois ans à venir. Karénine, le vrai, en souvenir de Derek, a approché l'attachée de presse de l'émission, et m'a fermement proposé un rôle dans son prochain film. Une grande marque de cosmétique souhaiterait que je devienne son nouveau visage. J'ai une dizaine de sites Internet. Je crois qu'on peut dire que je tiens le bon bout.

Une chose me préoccupe, non pas que ça m'empêche de dormir, simplement, je me pose la question : quand Derek a-t-il signé cette fameuse autorisation de diffusion ? J'ai posé la question à Stanislas, et il a marmonné je ne sais quoi à propos de notes d'hôtel qu'on signait toujours sans regarder. Stanislas et moi, nous nous entendons bien. Je lui suis reconnaissante parce qu'il m'a sauvé la vie. C'est lui qui m'a téléphoné au moment où j'allais me flinguer, manipulée par cette ordure de Derek. Sans lui, je n'aurais jamais su ce qui s'était passé. Et puis – j'oubliais – il m'a aussi sauvée de la taule. Il aurait très bien pu me dénoncer aux flics, après tout, j'ai tout de même abattu Derek de sang-froid ?

Quand il m'a expliqué le projet, et qu'il m'a annoncé que j'allais devenir une star, je lui ai dit qu'il allait montrer au monde entier un film de faits réels où j'assassinais un homme. Il m'a répondu que non, que c'était de la légitime défense et que Derek aussi m'avait tiré dessus. Je lui ai dit que j'avais tiré la première et il m'a répondu : « Ce n'est pas grave, on le coupera au montage. »

Et c'est là que j'ai compris que plus rien pouvait m'empêcher de devenir une star.

J'allais devenir une star.

XXI

UNE ÉTOILE EST NÉE

MANON — Le cliquetis de l'argenterie vacillant sur le plateau du petit déjeuner suffit à m'éveiller. L'éveil est facile, j'ouvre les yeux sans effort, je me sens reposée. J'enfile un peignoir et vais m'asseoir à la table roulante. Je bois d'abord mon jus d'orange, puis je me sers une tasse de thé. Je m'empare d'un croissant avant de signer la note, pendant que le garçon d'étage tire les rideaux. Le soleil envahit la chambre, et la clameur de Paris. Le garçon s'en va, je déploie les journaux, je les parcours un peu vite. Nous sommes lundi, et le *Elle* est enfoui sous les quotidiens. Sans surprise, je découvre mon visage sur la couverture. Et juste en dessous de mon nom, en gros caractères majuscules, on peut lire : « *UNE ÉTOILE EST NÉE.* »

J'ai un sourire, et avant de téléphoner au journaliste pour le remercier, je repousse le plateau, et ouvre un paquet de Marlboro Light. J'allume une clope, aspire une bouffée, puis une autre, et une autre, avidement, jusqu'au filtre, et je ne ressens strictement rien, rien qu'un goût dégueulasse.

Remerciements à Manuel Carcassonne, Elsa Gribinski, Élodie Deglaire.

Merci à Amélie Beigbeder d'avoir été ma première lectrice et à Frédéric Beigbeder pour tout.

Merci à Virginie de Clausade et Benoît, en souvenir du 6 novembre 2003.

Merci à Audrey Diwan d'être Audrey Diwan.

Impression réalisée sur CAMERON par

BUSSIÈRE CAMEDAN IMPRIMERIES

GROUPE CPI

à Saint-Amand-Montrond (Cher)
en mars 2004
pour le compte des Éditions Grasset,
61, rue des Saints-Pères, 75006 Paris.

Mise en pages : Bussière

N° d'édition : 13231. — N° d'impression : 40655-040536/
Dépôt légal : mars 2004.

Imprimé en France

ISBN 2-246-64411-9

Bubble gum

Lolita Pille, née en 1982, est l'auteur de Hell *(Grasset, 2002).*

« Tu crois que j'ai besoin d'une invitation pour aller quelque part ? Elle est sur ma gueule, mon invitation ! T'allumes ta télé ? Tu lis les journaux ? Est-ce que tu sais lire ? Tu vas au cinéma de temps en temps ? Tu sors de chez toi ? Parce que c'est pas possible, tu m'entends, CE N'EST PAS POSSIBLE DE VIVRE EN FRANCE AU VINGT ET UNIÈME SIÈCLE ET DE NE PAS SAVOIR QUI JE SUIS ! ».

18,00 €

prix valable en France

www.grasset.fr
ISBN 2 246 64411 9
37-7188-8
2004-III